D0505375

Lennon

*Du même auteur
aux Éditions J'ai lu*

EN CAS DE BONHEUR
N° 8257

D<small>AVID</small>
FOENKINOS

Lennon

« Est-ce que tu as une idée de ce à quoi ressemblera pour toi le *When I'm sixty-four*[1] ?

— Non, non. J'espère qu'on sera un joli vieux couple installé sur la côte irlandaise ou quelque chose comme ça, feuilletant l'album intime de notre folie. »

Extrait d'interview accordée à James S. Wenner (1970).

---

1. Référence à une chanson des Beatles qu'on peut traduire par : « Quand j'aurai soixante-quatre ans. »

Pendant l'écriture de ce livre, je n'ai cessé d'écouter la musique de John Lennon et des Beatles. Elle m'accompagne depuis toujours. Le premier souvenir marquant de ma vie est l'assassinat de John Lennon. J'avais alors un peu plus de six ans. La vérité d'un homme est extrêmement complexe à définir. Et davantage encore pour quelqu'un qui a suscité autant de commentaires. Et puis Lennon a aimé les médias. Il n'a cessé de donner des interviews, avec des versions différentes. Il a aussi réécrit sa propre histoire. Notamment toute la partie de sa vie avec Yoko. Il y a beaucoup de beauté, et une aisance dans la volonté d'être un mythe, dans leur façon d'avoir donné de leur vie une version officielle. Si la plupart des événements de l'existence de Lennon sont dans ce livre, ils n'en demeurent pas moins soumis à mon appréciation. Si j'ai cherché à être au plus proche de ce qu'il pouvait penser, il va de soi que cela demeure une interprétation absolument libre. Interprétation toujours en mouvement. Il m'arrive de ne pas savoir ce que je pense de

John Lennon. Je sais simplement qu'il me touche, sa musique m'accompagne tout le temps, et que je l'admire d'une manière infinie. Je sais qu'il est dans ma vie.

Introduction

Après une enfance terrible, une plongée pré-coce dans l'immense célébrité, la rencontre décisive avec Yoko Ono, des années d'errance et de drogue, John Lennon a décidé d'interrom-pre sa carrière en 1975, à l'âge de trente-cinq ans, pour s'occuper de son fils Sean. Pendant cinq années, à New York, il s'est retiré de la vie médiatique et n'a pas sorti d'album. C'est au cours de cette période qu'il a pris le temps de réfléchir à la folie de son parcours. Ainsi, les séances qui suivent se sont déroulées entre le 21 septembre 1975 et le 7 décembre 1980, veille de son assassinat par un déséquilibré.

Première séance

La dernière fois que je me suis allongé pour parler à un inconnu, c'était pendant le Bed-In avec Yoko. Une semaine au lit pour la Paix. Les gens pensaient qu'ils allaient nous voir baiser, alors qu'on voulait juste parler. C'était en... bon, pour les dates, faut pas trop compter sur moi. Disons 1968. Des dizaines de journalistes sont venus nous voir. C'était une autre époque. Je ne sais pas si ça a servi à quelque chose, tout ça. Est-ce qu'on a gagné un peu de paix ? C'était pas plus con que de faire une grève de la faim. On a simplement changé la position du combat. Notre lutte était horizontale. Certains ont dit qu'on était complètement mégalos. On chantait *Give peace a chance*, on achetait des pleines pages dans les journaux du monde entier pour mettre fin à la guerre. Tout le monde se foutait de notre gueule mais, au bout du compte, c'était la première fois qu'on mettait la notoriété au service du pacifisme. Et notre notoriété était sans précédent dans l'échelle des notoriétés. Ce n'était pas possible de ne rien en faire. Dès que je pissais de travers, je faisais la une des journaux. Le paradoxe, c'est que l'exposition brutale à la lumière m'a souvent permis de disparaître. En devenant une image pour tous, j'existais moins. Je me suis dilué tant de fois dans des concepts. Et là, c'était celui de John et Yoko. Celui de John et Yoko pour la Paix. Ce fut l'absence la plus visible qui soit. Je crois que je n'ai jamais cessé de chercher à me fuir, comme si j'étais une plaie. Je l'ai dit : une partie de moi-même est persuadée que je suis un pauvre type, et une autre pense que je suis Dieu. Alors, ça ne va pas être facile, votre boulot. Même si je crois que c'est plutôt le pauvre type qui est allongé là.

Je dois vous avouer que je ne viens pas ici par hasard. Je suis guidé par votre regard. Quand je vous croise dans l'ascenseur, vous avez une étrange façon de me regarder. Un regard absolument neutre. C'est la Suisse, votre regard. Depuis quinze ans, tout le monde m'observe bizarrement. Être moi, ça signifie n'avoir jamais personne de normal en face de soi. On y voit le Beatle, l'excité politique, le dingue de Yoko, mais rien de tout ça avec vous. C'est ce qui m'a attiré. Et puis aussi le côté pratique : je pourrai venir vous voir en chaussons. On croira que je descends les poubelles, mais je viendrai vider mon sac. Pour avoir un cabinet ici, c'est que vous devez être sacrément douée. Le Dakota, ce n'est pas un immeuble, c'est un repaire de nantis. Ce que je suis. Ce que je serai toujours maintenant. J'ai dit qu'on était plus populaires que Jésus. Je pourrais dire que je suis plus riche que le Bangladesh. C'est

Yoko qui gère mon argent, mais je vois juste que notre appartement s'étend de plus en plus. Si ça continue, je vais finir par aller chier à Brooklyn... Pardon... J'ai un humour... Enfin, vous verrez... Bon, j'ai compris : vous ne parlez pas. C'est drôle, j'aurais juré le contraire. Vous avez une tête à théories. Peut-être pour plus tard alors, c'est ça ? Vous me ferez une synthèse. Si on a le temps. Avec ce que j'ai vécu, il nous faudra au minimum un siècle pour cette analyse. Un siècle avec les jours fériés.

C'est un moment si particulier. Yoko est enceinte. C'est un miracle après tant de fausses couches. Elle est enceinte de mon bonheur. Elle est enceinte de mon apaisement. Je compte les heures, les minutes, les secondes. Elle est si belle, elle est ronde, et je suis heureux dans ce rond. Enfin, je commence à être heureux. Mes démons me chatouillent les pieds, mais je les rejette. Ça me fait peur aussi, ce bonheur qui arrive. Je ne sais pas ce qu'il faut faire quand on est heureux. Peut-être que c'est ça que je viens chercher ici : le mode d'emploi du bonheur. C'est comme si on me le livrait maintenant, et que je le regardais comme on regarde le soleil. Avec la peur de se brûler les yeux au cœur de l'émerveillement.

Je n'ai connu que la frayeur. J'ai tenté tant de choses pour m'en sortir. La drogue, beaucoup de drogue. Au début, on fumait juste du shit. On riait tout le temps. J'avais l'impression de voyager dans l'enfance, et même : de découvrir enfin l'enfance. On fumait dès le réveil. Au studio, on se cachait pour ne pas se faire pincer par George Martin, notre producteur. On était comme des écoliers. On aurait dû rester dans les volutes. On n'aurait pas dû continuer à creuser notre fosse. Mais bon, ça a quand même complètement modifié ma vision des choses, mon rapport au réel. Est-ce que sans la drogue je serais passé de *Love me do* à *I am the Walrus* ? Je ne sais pas. Peut-être que tout était là, en moi. Et que me soûler à l'eau aurait tout autant fait l'affaire. Je ne peux pas le savoir. Personne ne peut faire marche arrière dans ses veines.

Il y a eu une petite période où on a pris de l'acide, mais la vraie révolution a été le LSD. L'ouverture de toutes les portes de la perception. Le monde entier était différent. Ma première fois a été aussi dense qu'un dépucelage. Un dépucelage de l'esprit. On était invités à dîner chez notre dentiste. Quelle idée aussi d'être ami avec son dentiste. Faut se méfier des mecs qui fourrent leur nez dans ta gueule. C'est lui qui nous a fourgué du LSD sans qu'on le sache. À mon avis, il voulait nous plonger dans une sorte de partouze. Tout le monde voulait baiser les Beatles. En sortant de chez lui, j'ai pris la voiture. Toute la nuit, j'ai vu Londres à l'envers. C'était magique. Alors, je suis devenu accro. Mais je n'ai jamais pensé une seule seconde à en faire l'apologie. Tout le monde a cru que *Lucy in the sky with diamonds* voulait dire LSD. Je n'en revenais pas. Peut-être que c'était mon inconscient ? Après cette histoire, j'ai pris les initiales de toutes mes chansons pour y chercher des messages codés, mais rien à faire, il n'y avait rien à trouver. Personne ne me croyait quand je disais qu'elle avait été inspirée par un dessin de mon fils. De toute façon, chaque fois que j'ai voulu démentir un truc, on ne m'a jamais cru. Paul, c'est sûr qu'on l'aurait cru, avec sa tête de gendre. Moi, j'étais trop intello, trop pervers pour qu'on puisse croire en la chasteté de mon imagination. On s'en fout surtout. Ce qui est marrant, c'est qu'il y a un chercheur français qui vient de découvrir le plus vieux squelette du monde. Et au moment de sa trouvaille, on passait ma chanson à la radio. Alors il l'a appelé Lucy. C'est fort, non ? C'est plus fort que de savoir si oui ou non cette chanson était une ode à la drogue.

Au fond, je ne sais plus moi-même où est la vérité. J'étais tellement mal à cette époque. Je ne savais pas quoi faire pour aller mieux. Après, j'ai accéléré le mouvement en passant à l'héroïne. Je me sentais minable. Tout m'impressionnait. Personne ne peut imaginer à quel point je suis timide. On peut faire des concerts devant cinquante mille personnes et avoir la trouille de sa vie à l'idée de parler à une femme. Je ne me supportais plus. Et je n'étais plus satisfait du groupe. J'étais comme marié aux Beatles, et c'était un mariage qui m'étouffait. On ne pouvait pas parler. Lors de notre premier voyage en Amérique, notre manager nous avait interdit d'évoquer le

Viêtnam. C'est peut-être pour ça que j'ai explosé après, que je n'ai parlé que de politique. Ils m'ont trop muselé, les cons. On était quatre garçons dans le vent, mais c'était un vent glacial. Je criais au secours, et les gens applaudissaient. J'étais une bête apeurée. Je me sentais si fragile, j'avais l'impression que tout le monde allait me fuir. J'avais des visions de gens prenant des trains et des avions pour aller le plus loin possible de moi. J'ai toujours ressenti ça. J'ai chanté si souvent que je ne voulais pas qu'on me laisse tomber. Et même avec vous, je vais essayer d'être drôle, de vous séduire un peu, de faire en sorte que vous m'aimiez pour ne pas foutre le camp. Je sais, c'est facile, c'est lié à mes parents. Ils se sont barrés quand j'étais petit. Pas besoin d'une longue séance pour comprendre que ma vie, c'est une tentative incessante de prouver au monde que je vaux quelque chose. Mais bon... si mes parents étaient restés, que se serait-il passé ? J'aurais peut-être été heureux. Et je serais devenu dentiste.

Pour m'en sortir, j'ai participé à toutes sortes d'expériences. J'ai été un adepte du cri primal. On tentait d'expulser par des cris les drames de l'enfance. On pleurait toujours pendant les séances. J'avais l'impression que ça marchait, mais il faut croire que non, car la douleur revenait sans cesse. Il n'y a pas de vacances à la douleur. La souffrance est une éternité. Avant les cris, j'avais donné dans le silence. Maintenant que j'y pense, je me dis que c'est fou de voir à quel point j'ai essayé tout et son contraire. J'ai tenté de me sauver par la méditation. On est partis en Inde avec le Maharishi, une sorte de gourou à barbichette. On lui a fait tellement de pub. Vous imaginez ? Avoir les Beatles comme adeptes ? Je suis revenu de tout ça. Lui, il était dans son bungalow, comme un petit pacha, avec tous ses lieutenants qui n'arrêtaient pas de dire qu'il faisait des miracles. Il y avait des histoires comme quoi il avait essayé de coucher avec des filles, de quasiment les violer. On a commencé à avoir des doutes. J'ai voulu avoir une explication avec lui, mais ça ne servait à rien. J'ai vu subitement dans son œil qu'il s'était foutu de notre gueule. Cette déception a été brutale, comme un coup de foudre à l'envers. J'ai vu dans son regard la haine qu'il pouvait avoir. Au même moment, le monde entier commençait à être zen. Et je venais de comprendre, déjà, que le rêve qui débutait d'une aisance multicolore ne durerait pas. J'ai senti aussi à quel point la recherche de Dieu était une notion pour les faibles, qu'au bout de cette inspiration-là attendait aussi la vacuité. Je suis rentré, misérable. Et c'est la musique qui m'a sauvé. Je suis revenu avec mes plus belles chansons.

Alors vous voyez, j'en ai tenté des choses. Et je suis là à vous parler avec toute l'expérience de mon amertume. Je voudrais tellement me reposer maintenant. Je voudrais trouver du blanc. Quand je dors, mes rêves ont le mauvais goût de me réveiller. Je suis hanté par des souvenirs atroces. Ceux de mon enfance... et des actes terribles... que j'ai commis. J'ai eu tellement de violence en moi. J'ai failli tuer à mains nues. Mais bon, je ne sais pas si je peux vous raconter ainsi les saloperies de ma vérité. Peut-être que oui. Peut-être qu'il faut que j'emprunte enfin ce chemin. C'est le moment.

Deuxième séance

Yoko a accouché. Vous vous rendez compte ? Je suis père. Et mon fils... mon fils Sean est un génie. Je le sens déjà. Il y a eu Mozart, il y a eu Einstein, et maintenant il y a Sean. Il a eu le bon goût de naître le jour de mon anniversaire, le jour de mes trente-cinq ans. Le 9 octobre 1975. Le 9 est décidément le chiffre de ma vie. Je suis né le 9, j'ai rencontré Yoko un 9, et je pourrais encore vous donner des dizaines de raisons qui font que je suis persuadé de vivre ma vie sous l'emprise de ce chiffre. Je suis prêt à parier que je mourrai un 9. C'est le chiffre de la fin du cycle. Le chiffre qui annonce le début d'une ère. Et c'est encore une fois le cas. La naissance de mon fils s'accompagne d'une autre nouvelle lumineuse. Mon avocat m'a dit que j'allais enfin pouvoir être un citoyen américain. Après tant d'années de lutte avec les services de l'immigration, me voilà un homme admis. J'ai l'impression de me retrouver subitement sur le paillasson de la vie normale. Et je la veux, cette vie. Je la veux comme un fou. Je veux rester près de Sean. Il n'y a plus que ça qui compte. Il n'y a plus de Beatles.

Il n'y a plus de musique. Il n'y a plus de Nixon. Il n'y a plus rien. On est là, à la maison, on profite du temps qui passe. Je suis à quatre pattes, et j'ai l'impression de courir.

Je sais que je rattrape tout le temps que je n'ai pas passé avec Julian, mon premier fils. Toute ma vie, j'ai d'abord raté les choses avant de les réussir. Julian est né en même temps que je suis né au monde. J'étais un salopard, comme tous ceux qui réussissent. On aime ses enfants d'une manière différente car on est différents au moment de les avoir. Ce n'est peut-être que ça. Il est mal tombé. Et puis, je ne savais pas comment faire, je n'avais jamais eu de père, je n'avais pas de modèle. Je voudrais parfois agir, rattraper ce que je n'ai pas su donner, mais je n'y arrive pas. Je ne l'ai pas vu pendant plusieurs années. Il ne me manquait jamais. Les derniers temps, il est venu nous rendre visite. Mais je ne savais pas très bien quoi faire de lui. J'étais incapable du moindre élan de tendresse. Je voyais ses petits yeux en demande, et ça me rappelait la façon pathétique avec laquelle j'avais quémandé l'affection de ma mère. J'aurais pu être touché, mais non, ça me rendait violent parfois. Il m'est arrivé d'être méchant... Je le sais. Mon amour pour lui est entravé, c'est comme ça. Il y a entre nous des mondes entiers de sécheresse. Je me rends bien compte que ça doit être encore plus atroce depuis l'arrivée de Sean. Il me découvre fou d'amour pour un enfant. Alors que lui, je l'ai élevé avec l'amour d'une seringue pour une veine.

Ma rencontre avec Yoko a été l'effacement de ma vie avant elle. En l'embrassant, je suis devenu amnésique. Julian est devenu flou. Le fruit d'une époque qui n'existait plus dans mon esprit. Je dis ça, j'essaye de trouver des raisons, mais c'est peut-être ridicule de réfléchir à ses amours. De penser à ce que l'on ressent ou ce que l'on ne ressent pas. Je suis un instinctif pur. J'ai toujours vécu sous la dictature de ma sensibilité. Alors je n'aime pas mettre des mots sur le cœur qui bat. Il n'y a parfois rien à dire à l'étroitesse affective. Vos amis disent bien qu'il y a deux types de parents : ceux qui reproduisent les schémas et ceux qui les cassent. Alors voilà, je suis tous les schémas. J'ai tout été dans ma vie, et c'est pareil pour l'éducation. J'entoure Sean de tout ce que je n'ai jamais eu. Avec Yoko, nous lui offrons un foyer stable, un amour solaire. Et pour Julian, j'ai reproduit. Je lui ai transmis les racines de mon mal. Je lui ai offert toute la souffrance qui a été la mienne. J'ai reproduit les rejets dont j'ai été victime. Est-ce vrai que tout se joue avant nos cinq ans ? Si c'est vrai, alors ce qui s'est joué pour moi, c'est la partition du désastre.

La partition de ma fragilité.

Au tout début, j'ai entendu le bruit assourdissant des bombardements. Je ne suis pas venu au monde, je suis venu au chaos. Liverpool était la cible des bombes allemandes. Vous savez, tout ce que je raconte, c'est un mélange de mes souvenirs, de ce que ma famille a pu me raconter, et peut-être aussi de tous les commentaires que j'ai lus sur mon enfance. Je suis si célèbre que ma vie appartient à tous. Tout le monde a un avis sur ce que j'ai vécu. Si bien qu'il m'arrive de ne plus être sûr de quoi que ce soit. Mais maintenant, c'est différent. On m'oublie un peu et je me sens enfin libre de voyager dans mes souvenirs sans tous les bagages des autres. Je peux voir l'enfant John au plus près. Je peux lui prendre la main.

Le début, c'est donc le bruit des bombes. J'ai vécu toute ma vie la peur au ventre. C'est sûrement celle de ma mère, quand elle a couru dans la nuit pour arriver à l'hôpital. Elle était seule, car j'avais un marin pour père. Longtemps, j'ai trouvé fabuleux d'être le fils d'un homme qui sillonne les mers. Enfant, j'ai même dû me convaincre qu'il devait être du genre à combattre les pirates. Quand j'ai grandi, j'ai compris qu'il combattait surtout la misère. Et que son rôle sur les bateaux n'était pas des plus glorieux. Il était serveur, et devait aider à faire la plonge. Mais je me souviens que chacune de ses apparitions était un événement fabuleux. Aussi fabuleux que rare. On ne le voyait presque jamais. Il disparaissait pendant des mois et des mois. Je crois bien qu'il en souffrait. Surtout de ne pas voir ma mère. Il était fou d'elle. Ils s'étaient rencontrés très jeunes, dans une sorte d'évidence commune pour la vie de bohème. Mon père chantait, ma mère jouait du banjo. Ils auraient pu former un duo. Mes parents en haut de l'affiche : Alfred et Julia. Ils étaient deux bons vivants et, comme souvent, la vie n'aime pas les bons vivants. Ils n'ont pas eu le bonheur qu'ils auraient pu avoir. Leur histoire n'a cessé de créer des histoires.

À mon avis, et c'est le cas d'un peu tous les Anglais, je suis probablement né d'une bouteille de whisky. Ça sent le samedi soir déjanté. Quand ma mère est tombée enceinte, mes parents ont dû prendre la décision de se marier. Il fallait dire au revoir à la légèreté. Dans ma famille maternelle – enfin, je dis famille mais il s'agit plus d'une entité sèche obsédée par la morale... –, ils n'ont pas vraiment apprécié la situation. Ma mère achevait définitivement son image de vilain petit canard. Elle était folle, elle était rebelle, mais on ne pouvait pas imaginer qu'elle irait jusque-là dans la dépravation. Un enfant hors mariage avec un prolétaire, on frôlait carrément le déshonneur. Pour faire bonne figure, mon père a tenté d'enfiler le costume de l'homme responsable. Mais il s'est très vite rendu compte qu'il allait flotter dedans. Il ne pourrait jamais faire semblant d'être quelqu'un d'autre. C'est un acteur hors pair, mais il ne sait jouer que son propre rôle. Alors voilà l'ambiance de ma vie de fœtus. J'aurais voulu être attendu avec des sourires, mais ma venue a été une source d'angoisse. Fini le chant, fini l'amusement. Je ne pesais que quelques grammes et j'étais déjà un poids immense. Et puis, pour ne pas gêner cette belle mécanique du désenchantement, il fallait ajouter une guerre mondiale au décor.

Un bâtiment tout près de chez nous s'est effondré, faisant plusieurs morts. Sur le chemin me menant à la vie, j'ai croisé des âmes brûlées. Il fallait faire vite, on n'avait absolument pas le temps d'attendre les heures du travail nécessaire à tout accouchement. Tout le monde suait, transpirait, tentait d'y voir quelque chose à travers l'obscurité. Pour ne pas prendre de risque, ils ont décidé de pratiquer une césarienne. Un homme a piqué ma mère, et voilà, je suis sorti de son ventre. J'ai poussé un cri. Mon premier cri. Et dire que personne n'a eu la bonne idée de l'enregistrer. Il vaudrait maintenant une fortune, ce cri. Je mesurais quelques centimètres, je n'étais rien. Ma tante Mimi m'a dit qu'on m'avait aussitôt mis sous le lit. Au cas où une bombe nous tomberait dessus. Comme si un lit pouvait atténuer la chute d'un plafond. Mais on ne savait jamais, tout tremblait, des objets tombaient des étagères, il fallait me protéger, et déjà ma mère ne se sentait sûrement pas la force de le faire. Elle était jeune, elle était belle, elle avait sûrement rêvé mieux pour débuter sa vie de femme que d'être là, dans le sang et l'obscurité, sous le regard culpabilisant de sa sœur. Je me demande si elle était tout de même un peu heureuse ce jour-là. Je crois que oui. Surtout parce que j'étais un garçon. Enfin un homme dans cette famille de femmes. On m'a appelé John Winston, car il fallait bien rendre hommage à Winston Churchill. Hommage bien ridicule, car j'allais être faible, lâche, et terriblement craintif.

Les premiers jours n'ont pas dû être très drôles pour ma mère. J'étais un boulet. Une entrave à sa liberté. Pourtant, au tout début, elle a tenté de bien jouer son rôle. Elle a tenté de prouver au monde, à sa famille donc, qu'elle était parfaitement capable d'élever un garçon. Elle attendait les retours de mon père, sagement. Mais les retours se sont espacés de plus en plus, si bien qu'il lui arrivait de ne plus savoir ce qu'elle attendait vraiment. Alors, elle s'est mise à sortir à nouveau. Elle me laissait la nuit, tout seul dans notre appartement. À l'âge de un an, deux ans, j'ai le sentiment de m'être réveillé la nuit et d'avoir ressenti le silence qui m'entourait. D'avoir compris que j'étais seul, et c'était comme une douleur atroce qui m'empêchait de respirer. Alors je criais. Et je criais de plus en plus fort. Les voisins se sont plaints. Ma mère a menti en disant qu'elle avait des problèmes d'audition. Oui, elle a dit à ses voisins qu'elle était sourde pour masquer son comportement irresponsable. Elle oubliait juste qu'ils l'entendaient chanter et jouer du banjo, ce qui rendait son alibi moins crédible.

Elle a compris alors qu'il valait peut-être mieux qu'elle me trimballe avec elle lors de ses sorties. On peut dire que ce sont mes premières tournées. Mais sans public pour m'acclamer. On vient peut-être me voir, au-dessus du berceau, et je fais semblant de dormir pour qu'on me foute la paix. C'est ma mère que je veux, et c'est tout. J'ai l'impression qu'elle est là, qu'elle s'occupe de moi, et pourtant je ne sens jamais de moment d'arrêt. De moment où l'on se fige dans la tendresse. Je ressens profondément son absence. Je me sens seul, et c'est de cette solitude-là que tout a découlé. C'est pour ça que les Beatles ont marché. Le socle du groupe, c'est ma solitude. Ma nécessité de vivre avec eux pour survivre.

Ma tante avait peur pour moi et s'interrogeait sur l'attitude de sa soeur. Ma mère balbutiait des excuses, comme elle a toujours su le faire, avec la nonchalance atroce de ceux qui ne doutent jamais de leurs bonnes intentions. Mimi a alors proposé de me garder plus souvent. Il fallait penser à mon équilibre. C'est comme ça que j'ai commencé à passer du temps chez ma tante, la plus dure et la plus respectée des soeurs. Peut-être qu'au départ son attitude a simplement été motivée par l'envie d'éviter un scandale familial. D'éviter que les inconséquences de ma mère ne soient connues de tous. Je suis peut-être odieux de penser ça. Car je n'ai jamais manqué d'amour avec Mimi. Et j'allais avoir de nombreuses années pour m'en rendre compte.

Les premiers temps chez ma tante, je restais dans l'entrée. Comme un chien. Un gentil toutou. J'attendais que ma mère rentre, qu'elle vienne me chercher. J'étais obsédé par elle. Est-ce que tous les enfants sont comme ça ? Est-ce que tous les enfants délaissés sont ainsi torturés ? Je pense maintenant que l'amour éprouvé est proportionnel à celui qu'on ne reçoit pas. Moins ma mère était là, plus je l'aimais d'un amour déréalisé. Un amour perfusé à la culpabilité. Car je pensais forcément être le responsable de tout ça. Si elle pouvait se passer de moi, c'est que je n'avais pas de valeur essentielle. Mais la sensation du rejet était atténuée par l'amour que je recevais. Celui de Mimi et de George, son mari. Leur amour colmatait un peu le trou béant que j'avais dans le cœur. Et c'était toujours mieux que rien. C'était toujours plus que ma mère.

Il faudrait aussi dire autre chose : j'aimais follement ma mère car elle avait une capacité inouïe à se faire aimer follement. Elle avait sa part de responsabilité. Les hommes de sa vie ont été fous d'elle, et au premier rang de cette folie amoureuse, il y avait mon père. Quand il revenait, je sentais comme une fête sur son visage. Il lui rapportait des cadeaux. Pendant des heures il lui racontait tout le temps qu'il avait passé à penser à elle. Il voulait la faire rire, la faire danser, lui donner toute sa vie. Il l'étouffait de promesses d'un futur merveilleux. Cela durait quelques jours, d'une intensité lumineuse, puis il repartait la tête basse. Alors ma mère s'est lassée définitivement de ce bonheur qui n'existait que par parenthèses.

Un jour, j'ai bien senti que quelque chose s'était passé. Tout le monde s'est mis à chuchoter, c'était mauvais signe. Surtout pour ma mère qui parlait toujours fort. Elle était dans le salon, avec ses sœurs. Elle leur apprenait la nouvelle. Cette nouvelle qu'elle ne pouvait plus cacher. Cette nouvelle qui était dans son ventre depuis plusieurs mois déjà. Elle ne pouvait rien dire de l'origine de l'enfant qu'elle attendait. Est-ce qu'elle le savait au moins ? Moi, comme tous les enfants, je lui demandais tout le temps si je pouvais avoir un frère ou une sœur. Je ne voulais plus être seul. Alors j'ai compris que son ventre, ça voulait dire qu'elle voulait me faire plaisir. Mais il n'y avait aucune joie. Quand j'étais de bonne humeur, que je demandais quel prénom on lui donnerait, je sentais que ce n'était jamais le bon moment. Et puis, où était mon père ? Tout cela se mélangeait dans ma tête d'enfant, je ne comprenais rien. Et ce n'était que le début. J'allais plonger davantage encore dans une insoutenable confusion.

Ma sœur est née. J'ai l'impression d'avoir des souvenirs de sa naissance. Et pourtant, j'ai tout occulté. C'est bien plus tard, quand le frère de mon père m'a raconté toute l'histoire pour que je puisse rétablir la vérité de mon enfance, que les morceaux du puzzle se sont reconstitués. Je n'étais pas fou. Je me souvenais d'elle. Je me souvenais d'avoir joué avec elle. De lui avoir chatouillé le ventre. Et puis, un matin, plus rien. Elle n'était plus là. Ma sœur avait disparu. J'ai demandé où elle était, mais personne ne voulait me répondre. C'était comme ça. Elle était venue, puis elle était partie. Après tout, je m'étais habitué aux allers-retours de mon père. Peut-être qu'elle était partie sur un bateau, elle aussi ? Et peut-être que ce serait bientôt mon tour d'être emmené quelque part ? J'avais tellement peur de ça.

J'ai appris plus tard que l'Armée du salut s'était occupée d'elle. L'enfant de la honte. On lui avait changé de nom pour brouiller les pistes de son origine, et hop, au revoir. Les vies ne sont rien. Quand j'ai découvert la vérité, j'ai tout fait pour la retrouver. J'ai lancé des appels dans la presse, et j'ai eu des millions de sœurs. Tout le monde voulait être ma sœur, même des hommes. Mais ma sœur, ma véritable sœur de sang, ne s'est jamais manifestée. Je ne sais même pas si cette femme sait que je suis son frère[1].

Et mon père dans tout ça ? Il s'est retrouvé devant le fait accompli. En voyant ma mère enceinte, il a dû se sentir très mal. Il est aussitôt reparti en mer. Rien de mieux qu'un océan pour noyer son chagrin. Après l'accouchement et l'abandon du bébé, il est revenu reprendre sa place, sans rien dire. Il avait pardonné, voilà

---

1. La sœur en question se nomme Ingrid Petersen, et a su que John Lennon la recherchait. Mais, ne voulant pas blesser sa mère adoptive, elle a repoussé les retrouvailles. Au moment où elle voulut retrouver son frère, il était trop tard : John Lennon était mort.

tout. Ma mère aurait pu faire n'importe quoi, et même coucher avec deux Polonais, qu'il aurait agi de la même manière. Enfin, non... Je me dis qu'il a sûrement dû s'énerver un peu quand même. Il l'aimait beaucoup trop pour se taire. Oui, c'est certain qu'il a crié un peu. Mais ma mère a dû crier encore plus fort que lui. Elle a dû dire que tout était sa faute. Qu'il l'avait complètement délaissée, alors il ne fallait pas qu'il s'étonne si elle allait chercher de l'affection ailleurs. Mon père ne pouvait plus rien dire, c'était un argument redoutable. Ma mère a toujours été une princesse du retournement de situation. Mais, au fond de moi, je suis certain qu'elle aurait voulu qu'il devienne fou de rage, qu'il casse tout sur son passage, qu'il ne pardonne jamais. Qu'il retrouve un peu de virilité dans sa déchéance. Mais là, cette façon qu'il avait eue d'admettre les choses enfonçait le clou. Jusqu'où fallait-il qu'elle saccage leur histoire ?

Les mois ont passé, et comme rien ne changeait, l'histoire s'est répétée. Ma mère me laissait chez Mimi et dansait loin de moi. À peine traumatisée par ce qu'elle venait de vivre. Elle a rencontré un autre homme. Un mec simple. Un peu bourru, un peu typique. Un de ceux qui peuvent faire croire qu'ils prennent les situations en main. Lui aussi était fou d'elle. Quand elle est morte d'une manière atroce, il ne s'en est jamais remis. Je n'ai jamais vraiment su ce que je pensais de lui. C'était changeant. Il pouvait être sympa, il pouvait être con. Comme tous les hommes. Mais il aurait pu être génial que cela n'aurait jamais changé le fond de haine qui baignait en moi, car c'est lui qui m'a définitivement écarté. Enfin non, je dois me dire que c'est elle qui a pris toutes les décisions. Je dois admettre une fois pour toutes qu'elle est responsable de m'avoir abandonné.

Quand elle a rencontré cet homme, elle n'avait plus de nouvelles de mon père depuis longtemps. Il devait voguer quelque part, et se sentir minable de ne pas être capable de nous envoyer un peu d'argent. Mais bon, peut-être que ce que je dis est faux. Si ça se trouve, il chantait, se tapait des filles, menait la belle vie. Et il s'en foutait pas mal de nous. Mon père, c'était le genre à faire croire quand il réapparaissait, après un an de silence, qu'il avait souffert le martyre pendant la séparation. Et je suis certain que, au moment où il exprimait son malaise, il y croyait profondément. C'était son côté artiste : la sincérité de la seconde. Cette seconde qui n'existe plus, déjà, qui est morte après avoir été vraie le temps de sa petite éternité. Mais bon, à cette époque-là, ma mère avait fait une croix sur lui. Elle ne cherchait plus un amant, elle ne cherchait plus l'aventure, elle cherchait un amour. Ce fut le Dykins. Il arrivait au bon moment dans la vie de ma mère. Oui, il est arrivé au moment où elle n'en pouvait vraiment plus de son mariage fantôme. Elle avait besoin de se poser, et Dykins lui offrait tout ça.

Ils ont emménagé dans un petit studio, un trou à rats. Mais le lieu n'a jamais d'importance au début des histoires d'amour. Les premiers temps, on se regarde dans les yeux, et ça suffit. C'est après que le décor reprend tout son intérêt ; c'est avec l'arrivée d'une forme de lassitude qu'on se souvient que le monde existe. Leur cagibi était le lieu idéal pour vivre d'amour et d'eau fraîche, mais comme j'étais là, ça compliquait forcément l'aisance du mythe romantique. Ils passaient leur temps à s'embrasser, à se peloter, et ils s'en foutaient bien de savoir si je dormais ou non. Alors je devais avoir mal, très mal, et ça a dû me rendre chiant. Je voulais dormir avec eux, et pas par terre près de leur lit. Dykins, ça devait l'emmerder que je sois tout le temps là, un enfant qui n'était même pas le sien. Une preuve humaine du passé. Il devait râler, c'est certain. Et il a obtenu ce qu'il voulait. Mais je m'accroche à l'idée que ma mère voulait vraiment que je reste avec eux. Je m'accroche à cette idée avec l'énergie du pauvre type que je suis quand je cherche des preuves microscopiques de l'amour maternel.

C'est Mimi qui a fait basculer les choses. Elle avait sûrement raison, non ? Qu'est-ce que j'en sais moi, après tout. On me trimballait depuis que j'étais petit. Elle a dû se dire que c'était trop. Qu'ils allaient me rendre fou si ça continuait. Un dimanche, elle s'est pointée au studio, et il faut croire qu'elle a été effarée par ce qu'elle a vu. Elle m'aimait vraiment, Mimi. Ça lui transperçait le cœur de me voir là, sûrement dégueulasse, assis par terre dans un coin avec un air hagard. Elle a piqué une crise. Ce qui était rare. Elle était du genre colère froide. Elle a dit qu'il était hors de question que ça continue comme ça, que ma mère devrait avoir honte d'elle. Julia s'est défendue un peu, elle a dû dire : « Ça ne te regarde pas, c'est mon fils ! » Alors Mimi a répliqué que j'étais son neveu, et surtout un enfant, alors il était hors de question que le spectacle répugnant de cette dépravation puisse continuer. Il faut dire qu'on était dans l'Angleterre de l'après-guerre, plus coincée tu meurs. La situation de ma mère avait déjà tellement choqué. Un mariage avec un homme toujours absent, une vie bien trop légère, un enfant qu'on doit abandonner, alors là c'était trop. Elle salissait la famille à agir ainsi. Mimi a donc cessé toute discussion en disant : « Je vais porter plainte auprès des services sociaux. » Et elle l'a fait.

C'est ainsi que j'ai commencé ma vie, à l'âge où les souvenirs n'existent pas. C'est la première étape de ce qui m'abîme. L'étape la plus douce pourtant, comparé à ce qui m'attend.

Troisième séance

Je n'ai cessé de penser à vous, et quand je pensais à vous, ça voulait dire que je pensais à moi. Je pensais à tout ce que je vous avais dit. Pour la première fois, j'ai parlé de mon enfance d'une manière calme. Toute ma vie, j'ai voulu poser des mots sur mes émotions. Vous savez, toutes mes chansons sont autobiographiques. Quasiment toutes. Je ne peux rien exprimer d'artistique si ce n'est pas personnel.

Depuis ma dernière visite, quelques mois ont passé, et ma vie est exactement la même. Je vis enfin des jours qui ressemblent les uns aux autres. Je découvre avec émerveillement la routine. Je fuis ainsi les dérives du passé. Hier soir, Mick Jagger a laissé un mot sous ma porte. Il voulait me voir. Mais bon, je ne l'ai pas rappelé. Yoko m'a confirmé que c'était bien d'arrêter tout ça. Je n'ai plus envie de traîner, de boire, de rechercher une pute ou une groupie à baiser. Ce n'est pas forcément facile. C'est comme une tentation dans le dos. Les années ont la perdifie d'embellir ce qui était noir. On peut facilement se faire avoir par un souvenir. Je me sens fort pour résister, mais il m'arrive de rester des journées entières à fumer, à tourner en rond, et je me dis qu'il suffirait d'un rien pour que je saute par la fenêtre. On peut très bien éprouver, au cœur d'un bonheur immense, des pulsions suicidaires.

C'est drôle de voir les ponts entre les époques d'une vie. J'ai l'impression de vivre à nouveau mon adolescence. Je suis resté tellement d'heures dans ma chambre, à ne rien faire. Je suis certain que c'est l'ennui des années 50 qui a été le moteur de l'explosion psychédélique des années 60. Vous ne pouvez pas imaginer comme je me suis emmerdé dans mon enfance. Je n'avais alors d'autre choix que d'inventer des mondes. J'étais fasciné par Lewis Carroll. Je comprenais que mon cerveau fourmillait de trappes pouvant me propulser vers des vies parallèles et merveilleuses. Je devais chercher les recoins émotifs de mes rêves. Au fond, j'ai agi de la même manière avec la drogue plus tard. Enfant, je me suis défoncé à l'imagination, et c'était quand même moins nocif. Il fallait mettre des couleurs partout pour lutter contre l'hégémonie du terne.

Au début, j'ai trouvé ça très bizarre de vivre chez Mimi. J'ai dû penser que ce serait pour deux ou trois jours, comme d'habitude. Je n'ai cessé de vivre mon enfance avec le sentiment du provisoire. J'étais toujours en sursis de quelque chose. Mais je ne comprenais pas pourquoi je me retrouvais là. Ma mère ne m'avait rien expliqué. Et je n'osais pas poser de questions. Les enfants n'ont pas à s'interroger sur leur vie, non ? Ils n'ont pas à mettre des mots sur leurs inquiétudes. Ce sont aux adultes de donner des réponses. J'étais dans le flou. Je me disais que c'était sûrement à cause de Dykins. Je me disais qu'il ne voulait pas de moi. Peut-être que je le dégoûtais ? Peut-être que ma gueule ne lui revenait pas ? Ma mère avait dû choisir entre nous, et j'avais été écarté. Après tout, je n'étais que son fils.

C'est alors que mon père fit son retour à Liverpool. Fidèle à son habitude, il surgissait de nulle part. Ça a dû bien embêter Mimi. Elle s'était débarrassée de ma mère, elle pensait avoir fait le plus dur, mais fallait croire que non. Car il est revenu me chercher. Elle a dû tenter quelque chose pour le repousser mais il n'y avait rien à faire. Il était mon père, et il pouvait me reprendre quand il voulait. J'étais davantage un objet qu'un enfant. J'ai pris quelques vêtements vite fait, et je suis parti avec lui. Dans mes souvenirs, Mimi ne montrait jamais sa tristesse. Elle a dû me faire un grand sourire, me dire que c'était merveilleux que je retrouve mon papa. Il a dit qu'il ne m'emmenait que pour quelques jours. Il était en vacances, il avait un peu d'argent, et il voulait profiter de son fils. C'est comme ça qu'on s'est retrouvés à Blackpool, tous les deux. Je trouvais tellement dingue que mon père, ce héros, revienne des mers pour me chercher. On aurait pu passer une semaine dans des chiottes que cela aurait fait l'affaire. On est partis père et fils, et j'étais fier, oui, j'étais fier. Je ne me doutais pas un instant de ses intentions.

Blackpool, c'était une petite ville balnéaire vraiment cool pour les vacances. On se promenait, on jouait au foot. Mon père avait un pote qui passait souvent nous voir, et ils devaient se bourrer la gueule dès que j'avais fermé l'œil. Je vivais des jours qui n'avaient plus rien à voir avec ma vie chez Mimi. On ne dormait pas au même moment, on ne mangeait pas les mêmes choses, on ne parlait pas non plus de la même façon. Mon père voulait tout faire pour qu'on soit proches. J'ai compris plus tard son manège : il voulait retisser un lien familial dans le but de récupérer ma mère. Il l'aimait encore, et ça le rendait malade de la savoir avec l'autre. Maintenant qu'il l'avait perdue, il voulait commencer à réussir là où il avait raté. Il a toujours tout fait à l'envers, et je dois dire que je tiens ça de lui. Il ne faut pas compter sur nous pour affronter un problème du bon côté. Mais je m'amusais avec lui. Il avait la folie douce. Au fond, j'ai toujours pensé que mes parents étaient faits pour s'entendre. Ils étaient exactement pareils. De gentils dingues. Et je suis le fruit logique de cette union.

Je ne sais pas combien de temps on est restés là-bas, mais au bout d'un moment Mimi a vraiment commencé à s'inquiéter. Surtout qu'elle ne savait même pas où on était. Mon père ne lui donnait aucune nouvelle. Tout ça n'avait plus du tout l'air de vacances, mais d'un enlèvement. Enfin, pas d'un enlèvement, car c'était mon père. Disons qu'il reprenait subitement son droit de garde, sans avoir prévenu personne. Paniquée, Mimi est allée voir ma mère pour lui expliquer la situation. Je ne sais pas comment Julia a fait pour nous retrouver, mais, en tout cas, elle a débarqué un matin dans notre appartement. Elle m'a jeté un regard, puis elle s'est mise à engueuler mon père. Des parents normaux auraient tenté de régler leurs comptes plus discrètement, mais eux ils s'en foutaient que je sois là. Mon père a évoqué la Nouvelle-Zélande, ce qui a forcement envenimé la discussion. Depuis plusieurs jours, je rêvais de ce pays avec lui. Il m'en parlait à longueur de journée, me disait qu'on y serait bien. Il connaissait quelqu'un là-bas qui lui proposait du travail. Ce serait la belle vie, enfin. La vie de deux aventuriers. Comment pouvais-je imaginer que cette Nouvelle-Zélande je la découvrirais vingt ans plus tard, accueilli par des dizaines de milliers de filles qui crieraient mon nom ?

Ma mère traita mon père de grand malade. Il n'était jamais là, et voilà qu'il voulait m'emmener à l'autre bout du monde. Il a dû dire qu'elle vivait avec un autre homme et qu'elle m'avait abandonné chez Mimi. C'était la vérité. Alors elle s'est mise à pleurer, à dire que ce n'était pas vrai, qu'elle n'avait pas pu faire autrement... et les mots ont commencé à lui manquer. Mon père s'est alors retrouvé face à la fragilité de ma mère, face à la beauté subite de sa sincérité. Il aimait les moments où elle perdait pied, peut-être parce que ça lui donnait un espoir de reprendre une place forte. Il voulait la protéger. Elle continuait de pleurer. Et mon père avait les yeux rouges des larmes de ma mère. Tout était sa faute. Il avait été tellement con de voyager tout le temps, tellement con d'aller tenter de gagner sa vie si loin, alors que le cœur de sa vie était là, devant lui, si proche. Il aurait dû accepter n'importe quel boulot, même ramasseur de merde, rien que pour rester près d'elle. Il comprenait tout ça maintenant, c'était comme une fulgurance dans son cœur. Mais bon, c'était trop tard. Il avait au moins deux ou trois ans de retard sur les bons choix.

Ils sont restés là un instant, très calmes. Oui, je me rappelle les avoir regardés, et j'étais heureux de ce calme. Je voulais qu'on ne sorte plus jamais de ce calme. Qu'on soit une famille calme. Papa calme, maman calme et enfant calme. Mais il fallait parler. Il faut toujours parler à un moment. La bouche de mon père s'est ouverte en premier. Il a tenté, avec cette énergie aussi belle que pathétique du désespoir, de renouer avec ma mère. Il a dit tout bas : « Regarde notre John, regarde comme il est beau. Nous sommes une famille, nous sommes tous les trois. Je t'en prie, Julia, réfléchis, réfléchis... Et si on redémarrait quelque chose ?... Je t'aime et je vais tout faire pour te rendre heureuse. Je t'aime et on va s'installer pour démarrer une nouvelle vie, cette vie qu'on n'a jamais encore réussi à vivre... » Il a dû aligner ces mots-là. C'est comme si je les entendais. Je sais qu'il a été sincère et crédible, mais il se heurtait à un mur. Ma mère ne l'aimait plus. C'était foutu. On ne peut jamais faire marche arrière dans le cœur d'une femme. Elle avait tenu, elle avait attendu, mais maintenant c'était trop tard. Il soufflait sur quelque chose d'éteint. Alors, que fallait-il faire ? Mes parents étaient face à moi, comme deux fous, épuisés et passagers de leurs vies. Oui, comme deux fous, car ils devaient avoir les neurones désincarnés pour faire ce qu'ils ont fait. Pour agir d'une manière aussi tarée avec un gosse de cinq ans.

C'est mon père qui a eu l'idée. C'est mon père qui a eu l'idée de faire de moi un bourreau. De faire de moi un enfant qui brise le cœur d'un de ses parents. Il a dit à ma mère : « On n'a qu'à demander à John ce qu'il veut. Lui demander s'il préfère vivre avec son père ou sa mère. » C'était atroce de faire ça. Ma mère eut l'air d'accord. Tous les deux, ils n'avaient plus l'énergie d'être lucides, de voir la barbarie mentale qui se tramait là. Ils ne savaient pas où était la bonne solution, et sûrement qu'il n'y en avait pas, mais bon, il y avait encore du chemin entre une mauvaise solution et cette putain de solution qu'ils ont choisie et qui m'a pourri la vie.

Ils se sont avancés vers moi, si près de moi. Et mon père a demandé tout doucement avec qui je voulais vivre. Je venais de les voir se disputer, je venais d'assister à leur folie, et maintenant on me demandait mon avis. Mais mon avis au fond était simple, c'était l'avis du matin dans lequel je m'étais réveillé. Je vivais depuis plusieurs jours avec mon père, alors mon père était ma réalité, la réalité de ma stabilité au moment où je devais m'exprimer. J'ai pensé qu'on était bien, qu'on se marrait bien, qu'on avait des projets géniaux. Alors j'ai dû assez vite me prononcer en faveur de mon père. Oui, je n'ai pas dû réfléchir beaucoup. Mais sûrement que je ne comprenais même pas l'enjeu de ma réponse. Je ne comprenais pas que j'allais exclure définitivement de ma vie, par ma réponse d'enfant, mon autre parent. Ma mère m'a écouté sans rien dire. Ma parole l'achevait. Ma parole était l'accomplissement ultime de son échec. Son échec qu'on n'avait cessé de lui renvoyer à la figure. Voilà, c'était moi, le petit John, qui venais de la condamner d'une manière supérieure. Elle m'a regardé droit dans les yeux, et j'ai vu toute sa détresse, j'ai vu toute sa détresse et la vérité de sa détresse à cet instant, c'était tout le désespoir du monde figé dans une pupille. Elle est partie tout doucement. Je pense qu'elle a tenté de dire quelque chose, de m'embrasser, de sourire peut-être, mais tout ça était impossible, puisqu'elle était morte vivante.

Elle s'est éloignée. C'est insoutenable de voir sa maman souffrir comme ça. Surtout à cause de soi. J'ai regardé mon père pour lui demander ce qu'il fallait faire, mais il ne bougeait pas. Il était statufié par le malaise ou la honte. Il ne pouvait pas savourer sa victoire, car leur manège pathétique était une machine à perdants. Elle était dehors maintenant. Je l'observais, tétanisé. Et je l'observe encore, car cette image hante mes nuits. Je me suis alors précipité vers elle, en criant que je ne voulais pas qu'elle parte sans moi. Que je ne pouvais pas vivre sans ma maman. Mon père, en assistant à ce retournement de situation, a dû ressentir quelque chose de si mélangé. Quelque chose entre la souffrance et le soulagement. Comment on pourrait appeler ça ? Je ne sais pas. Il n'y a sûrement pas de mot. Il n'y a jamais de mot pour exprimer ces émotions inexistantes qui sont la somme de nos pensées contradictoires : la somme incessante de notre instabilité. Je ne voulais alors plus rien savoir des mots. Je ne voulais plus jamais qu'on me demande quoi que ce soit. Je voulais me cacher.

Mon père a rassemblé mes affaires. En quelques secondes, ma valise était prête. Remplie des trois chemises que j'avais mises tout le temps. Pourquoi n'en a-t-il pas gardé une ? Il ne voulait plus rien de moi. Je quittais sa vie, et c'était définitif. Enfin, non. Il allait tenter de revenir un an après. Mais ça, je ne le saurais que bien plus tard. Après l'épisode de Blackpool, il allait enchaîner les galères, jusqu'à finir en prison pour un vol absurde. Quand il a téléphoné à Mimi pour me voir, elle lui a fait comprendre qu'il valait mieux éviter de réapparaître. Avoir un père qui sortait de prison allait sûrement mettre en péril ce que j'avais enfin : une stabilité affective. Alors, soumis à la volonté de Mimi, il est reparti pour toujours sur les mers. Mais l'histoire ne s'arrête pas là. Les histoires ne s'arrêtent jamais avec moi. Quand je suis devenu ce que je suis, il n'a pas manqué de frapper à ma porte. C'est l'inconvénient de la célébrité : tout le monde se souvient que vous existez. Son surgissement du passé m'a profondément blessé, mais bon, je vous raconterai les détails plus tard. Ça mérite sûrement une séance entière.

Dans le train du retour, j'ai pensé que j'allais enfin vivre avec ma mère. Elle était venue me chercher pour qu'on soit ensemble. Mais plus le paysage défilait, plus j'avais l'impression qu'elle m'échappait déjà. Elle avait bataillé pour me retrouver, elle avait tout fait pour me récupérer, mais la situation ne changeait pas. Elle avait une nouvelle vie avec un autre homme. Et bientôt, elle aurait d'autres enfants. Je demeurais une tache du passé. Pendant le trajet, on est restés collés l'un contre l'autre, sans rien dire. Et j'ai rêvé que le train n'arrive jamais.

Chez Mimi, ma chambre m'attendait. J'étais épuisé. Ma mère est restée un instant près de moi, puis elle m'a embrassé. J'ai promis de faire de beaux rêves. Je ne savais pas à cet instant où j'ai fermé les yeux que je n'allais pas la voir pendant si longtemps. Je ne savais pas que je n'allais plus être son fils. Quand elle est redescendue, sa sœur l'attendait avec son regard noir. Son regard du jugement. Ma mère a raconté ce qui s'était passé à Blackpool. Et j'imagine très bien les mots de Mimi, prononcés dans ce chuchotement calme qui fait tellement de bruit dans la tête : « Tu as vu dans quel état est John ? Tu as vu comment tu me le ramènes ?... » Julia a dû baisser la tête, comme une enfant punie. Et cette fois-ci, il fallait admettre la vérité. Rien n'allait normalement ; elle m'aimait, oui, mais sa vie était toujours trop compliquée. Elle a alors avoué qu'elle n'en pouvait plus. Mimi tenait enfin sa victoire. Une victoire par K-O sur sa sœur. Mais ce n'était pas assez. Il fallait progresser dans l'effacement de ma mère. Mimi a ajouté : « Je le garde, oui. Mais je ne veux plus que tu le voies. Il souffre trop de tes allers-retours permanents. Pour sa stabilité, il vaut mieux que tu t'éloignes définitivement de lui maintenant. » Ma mère n'a rien dit, et son silence était un oui.

Elle est rentrée chez elle, rejoindre son amant, trouver du réconfort, et se réchauffer contre le corps d'un homme qui lui redonnerait tant de vie par son amour et ses baisers, tandis que je dormais seul, frigorifié dans le froid de mon abandon. Car je pouvais le dire désormais : mes parents m'avaient abandonné.

Quatrième séance

Il y a quelques semaines, juste après notre dernière séance, j'ai eu mon père au téléphone. On était brouillés depuis des années, mais comme je le savais très malade, j'ai voulu qu'on se parle. Il faisait nuit ici, et pour lui c'était le petit matin. Il y avait quelque chose d'étonnant dans cette ultime conversation. J'ai éprouvé le sentiment d'un monde arrêté. Comme si l'incompréhension de toujours s'échappait. Il a tenté de me dire des choses gentilles. Il savait que c'était sa dernière chance pour apaiser nos rapports. Il m'a parlé de ma mère, et j'ai été touché par ses mots. Il semblait très ému. Avant de mourir, les images d'une vie se réduisent sûrement à l'essentiel. Il a évoqué les instants de bonheur avec elle, et peut-être que sa vie a mérité d'être juste pour ces souvenirs-là. Il était égoïste, opportuniste, fou. Il était mon père[1].

Pendant mon adolescence, je l'ai complètement oublié. Il était comme mort pour moi.

---

1. Alfred Lennon est mort d'un cancer, le 1er avril 1976 à Brighton.

Mimi avait pris soin de saccager les derniers vestiges du mythe. Mon père n'était plus un héros, mais un lâche. Il avait fui, et n'avait jamais assumé ses responsabilités. Il fallait vraiment qu'on me demande qui était mon père pour que je me souvienne que chaque homme est le fils d'un autre homme. Quand je suis devenu célèbre, je n'ai pas pensé une seule seconde que cela allait provoquer son retour. J'ai été vraiment surpris d'avoir de ses nouvelles. Surpris, et surtout dégoûté. Si je n'avais pas été riche et célèbre, il n'aurait jamais fait la démarche de revenir à moi. Ça a dû quand même lui faire un choc de me voir subitement partout dans la presse, à la télévision, de m'entendre à la radio. J'avais son nom, j'avais sa gueule. Si j'avais voulu lancer un avis de recherche, je ne m'y serais pas mieux pris.

À cette époque, il faisait la plonge dans un restaurant minable. Sa vie avait pris le chemin inverse de tout ce dont il avait pu rêver. Il a dû vite comprendre que je pourrais changer le cap pathétique de sa destinée. Il a essayé de me téléphoner à la maison de disques, mais, à cette époque, il y avait énormément de fous qui cherchaient à entrer en contact avec un Beatle. Brian Epstein, notre manager, m'a dit que ça paraissait vrai. J'ai confirmé que mon père s'appelait Alfred. Mais bon, je m'en foutais. Il était hors de question qu'il vienne récupérer une miette de quoi que ce soit. Hors de question que je lui adresse la parole. C'était bien trop tard. Fallait venir avant, quand je pleurais la nuit. Quand la solitude me rongeait. Je n'ai donc pas répondu, et je suis passé à autre chose.

C'est alors que l'enfoiré a utilisé la presse. Les journaux cherchaient à se fourrer n'importe quelle information nous concernant. Ils léchaient tout, des trottoirs aux cadavres du passé. Alors vous imaginez, le père de Lennon, ça c'était une belle affaire. Lui qui avait toujours voulu être dans la lumière, voilà qu'on lui donnait une bonne occasion de s'extirper de son sous-sol. Il a commencé à pleurnicher. Il était dans la misère et son célébrissime fils le laissait croupir. C'était bien simple : pour l'opinion, je passais pour le salaud de l'histoire. J'étais le fils indigne qui laisse crever son père. C'était l'époque où on avait notre image de gentils, où les jeunes filles s'extasiaient sur nos bonnes manières. En utilisant les médias, il me prenait en otage. Brian m'a expliqué qu'il fallait absolument régler la situation. Je devais le voir et faire quelque chose pour qu'il arrête de parler. Voilà dans quel état d'esprit j'étais au moment de nos retrouvailles.

J'avais envie de lui faire la peau, alors il était préférable que je n'aille pas le voir seul. George m'a accompagné. Peut-être que Paul aussi, je ne me rappelle plus. Le rendez-vous a duré une demi-heure, et je suis ressorti... conquis. Je ne sais plus vraiment comment c'est arrivé, mais il a suffi de quelques minutes pour que ma froideur se fissure. Il a dû faire deux ou trois blagues, et ça a marché. Faut vraiment être très fort pour rattraper vingt ans d'absence par un sourire. Il nous a fait un sacré numéro. Il était du genre capable de te vendre une voiture alors que tu ne sais pas conduire. Au fond, c'est peut-être idiot à dire, mais c'était la première fois que je voyais quelqu'un à qui je ressemblais autant. Je croyais qu'on influençait les enfants par l'éducation, mais non. C'est simplement une question de gènes. On transmet les choses par le sang. J'étais le fils de cet homme-là. Il n'y avait pas de doute.

On a alors démarré une espèce de relation. On s'est vus quelques fois. On traînait un peu, on parlait, rien de précis. Je l'ai aidé financièrement. Il n'avait plus de soucis à se faire. Je pensais que les choses seraient belles, et même qu'on se ferait des cadeaux à Noël. Mais c'était bien mal le connaître. C'était sous-estimer son incroyable capacité à trouver de quoi m'emmerder. Quand j'ai appris ce qu'il mijotait, je me suis vraiment énervé. Je l'ai traité de tous les noms, en l'implorant d'arrêter immédiatement ses conneries. Il m'a regardé avec son air de chien battu. Il ne voyait jamais pourquoi il avait agi de travers. La situation était pourtant vraiment gênante. Mon père avait toujours voulu être chanteur. Il avait chanté sur les bateaux, sur les quais, dans les bars. Et voilà que sa subite paternité lui offrait son rêve sur un plateau. Je peux comprendre qu'il ait été tenté, mais la façon dont il a manœuvré son truc, et sans même me prévenir, était carrément infecte.

Je ne sais plus quel connard lui a proposé d'enregistrer un disque et bien sûr ils ont décidé de le sortir en même temps que notre album *Rubber soul*. Je chantais *In my life*, et cette chanson était très importante pour moi, un véritable tournant, ma première chanson réellement autobiographique, la première fois que j'avais l'impression de mettre mes mots en musique, et voilà que mon père sortait un disque qui parasitait tout ça. Un disque qui s'appelait en plus *That's my life*. Ça m'a vraiment blessé. Il faisait ça alors que j'avais construit ma vie sur les cendres de son absence. J'avais rêvé d'apaisement, de réconciliation, de simplicité, et je me retrouvais avec un père qui voulait rivaliser avec moi dans les charts. Un père qui n'en avait rien à foutre de la décence, une ordure de première qui profitait de ce que j'avais fait de son nom. Je ne savais pas jusqu'où j'allais aller dans le dégoût de mes origines. Finalement, Brian a racheté le contrat au producteur qui fut bien content de faire une affaire financière. Mon père s'est alors retrouvé sans disque et sans fils, comme un con.

Il était hors de question que j'accepte de le revoir après ça. J'avais cru au mythe du père qui revient. J'aurais été capable de me mentir, car on se ment toujours quand on veut coûte que coûte l'amour d'un parent. J'aurais été capable de voir dans son retour autre chose que de l'opportunisme. Mais même ce mensonge, il ne me l'a pas permis. J'ai décidé de ne pas lui couper les vivres, pour qu'on ne le retrouve pas à la rue comme un mendiant, ce qui aurait foutu en l'air ma carrière. Je n'allais pas lui laisser le privilège de m'entraîner avec lui dans sa déchéance. Son karma du ratage était si charismatique qu'il fallait se méfier.

Trois ans plus tard, il est revenu avec un grand sourire. Il avait quelque chose d'important à m'annoncer. Il voulait mon avis, et mon consentement : ce qui équivalait à de l'aide. Il avait rencontré une fille de trente ans sa cadette, et voulait l'épouser. Je précise que la fille était une groupie des Beatles. Ça a dû jouer légèrement dans son attirance pour mon père. Après avoir enregistré un disque, voilà qu'il se sautait mes fans. Enfin... je ne dis pas ça méchamment... c'est sûrement ce que j'ai pensé au début. Après tout, je crois qu'elle a vraiment aimé mon père. Elle semblait effondrée par sa disparition. Ils ont eu un enfant ensemble. Mais bon, sur le moment, ça s'est mal passé. Il ne pouvait pas venir me voir juste pour m'embrasser, juste pour me dire des choses gentilles. C'était toujours un cinéma avec lui, toujours des histoires pas possibles. Il voulait que j'embauche sa future femme comme assistante personnelle. Ça devenait vraiment n'importe quoi. J'allais me retrouver avec une belle-mère boutonneuse dans les pattes. À ce moment-là de ma vie, j'étais très défoncé, je ne voulais pas que les discussions s'éternisent, je disais oui à tout pour avoir du silence. C'était mon père, c'était ma croix, et c'était comme ça. Mais bon, ça a mal tourné. Je ne sais même plus pourquoi. La situation était insoutenable. Je lui ai acheté une maison pour qu'il me foute définitivement la paix. Ce qu'il a tenté de faire.

Un an plus tard, on a eu une autre dispute violente. C'est là que mon oncle m'a écrit pour me dire la vérité sur mon enfance... Mais je m'en foutais, je voulais que mon père sorte de ma vie. Qu'il arrête de me tourner autour. J'avais Yoko désormais. J'avais la force de faire table rase du passé. J'ai crié si violemment la dernière fois que je l'ai vu ; je ne sais plus de quoi je l'ai traité, mais c'était le genre de mots dont on ne revient pas. Il y a des mots qui sont des allers simples. Ça suffisait comme ça. Et puis voilà, le temps a passé jusqu'à son agonie. J'ai traversé toutes les émotions le concernant, si bien que je suis perdu quand je pense à lui. Je me dis simplement que je lui ressemble. Je me dis que j'aurais pu avoir exactement la même vie. Ma destinée est liée à mon époque. La guerre a fauché ses espoirs. Il a enchaîné les galères comme j'ai enchaîné les miracles : les bonnes rencontres bien sûr, et surtout de n'avoir jamais payé les conneries que j'ai pu faire. Je suis peut-être protégé. Ma mère est peut-être là, à m'aimer de l'au-delà, à m'aimer comme elle a toujours su le faire : par son absence. Mes parents se sont sûrement retrouvés maintenant quelque part dans l'immensité du vide.

Cinquième séance

Je suis père au foyer, une espèce atypique. Je suis tellement charismatique que je vais lancer la mode. Vous voulez mon avis ? L'avenir de l'homme est de devenir une femme. On va inverser les rôles. Et moi, ça me va très bien. Je me sens femme. Et je me sens enfant aussi. Je ne suis pas un adulte. Je ne l'ai jamais été. Ma célébrité m'en empêche. Il est physiquement impossible d'être aussi connu que moi et d'être adulte. Je n'ai jamais eu un billet de banque en poche, je n'ai aucune notion du prix des choses, je n'ai jamais eu à réserver quoi que ce soit. Même les numéros de téléphone, ce n'est jamais moi qui les compose. On m'a toujours pris quelque part, déposé ailleurs et ramené chez moi. Et souvent, je peux dire qu'on m'a foutu dans mon lit. Je suis quelqu'un qu'on déplace. Quelqu'un qui n'a pas élaboré le moindre mouvement autonome depuis plus d'une décennie. Avec la paternité active, je commence à intégrer le sens des responsabilités, et il m'arrive maintenant d'avoir des avis concrets, y compris sur les tâches ménagères. C'est la forme honnête du bonheur.

À une époque, Yoko a vraiment voulu que je devienne un homme. Pour elle, ça voulait dire conduire. Sillonner les routes sans chauffeur. On est partis sur la route avec Julian et Kyoko[1]. Quel souvenir atroce. On était en Ecosse : il y avait donc du brouillard. Ce n'est pas possible de rouler en Ecosse. On aurait dû aller à Los Angeles, là où les routes sont droites et larges. Et les voitures automatiques. Enfin, j'ai peut-être inventé ce brouillard. C'est peut-être ma frousse de je-ne-sais-quoi qui a transformé les routes en nuages. À un moment, j'ai cru voir une autre voiture foncer vers nous. J'ai tourné brusquement. On s'est retrouvés dans le fossé. On a vraiment failli mourir. Heureusement, les enfants n'ont rien eu, mais Yoko est restée quelques jours à l'hôpital. En sortant, elle a pris la décision de mettre la carcasse de la voiture au milieu de notre jardin. Comme elle ne l'avait pas nettoyée, on voyait encore les taches de sang sur les vitres. C'était une œuvre d'art. Et on pouvait ainsi se réveiller tous les matins avec la vision de notre survie.

---

1. Kyoko est la fille que Yoko a eue avec Tony Cox en 1963. On pourrait écrire un livre sur la bataille des parents pour la garde de cet enfant : disputes incessantes, tentatives d'enlèvement, disparition dans une secte. Hormis de courtes périodes, Yoko a très peu vu sa fille à partir du moment où elle a rencontré John Lennon. Elle a même passé de nombreuses années sans savoir où elle était.

« Survie » est peut-être le mot de ma vie. Je survis, tout comme les rock stars qui ne sont pas encore mortes. Combien de cadavres dans notre armée ? Brian Jones, Janis Joplin, Jimi Hendrix, Jim Morrison et tant d'autres. De toute façon, je sais très bien que, sans Yoko, je serais sur cette liste. Elle m'a accompagné dans ma dérive, et ça a tout changé. On meurt rarement à deux.

Avant Yoko, j'ai été si souvent seul. L'abandon d'une mère condamne un homme à la solitude. Quand je suis revenu chez Mimi, après l'épisode de Blackpool, j'ai retrouvé mon petit cocon aseptisé. Et j'ai tout fait pour nager vers l'oubli. C'est ce que vous appelez le déni, non ? Enfin, le mot n'a pas d'importance. Il fallait trouver le moyen d'anesthésier la douleur. Et j'ai même fait mieux : je me suis appliqué à ne plus voir. J'ai eu des lunettes vers dix ans, mais je suis persuadé que ma vue a décliné dès mes cinq ans. Je suis certain que tout cela était lié à ma volonté de brouiller une réalité qui m'avait trop violenté. Plus tard, j'ai eu honte d'avoir des lunettes. Au début des Beatles, on ne me voit jamais les porter. Un comble quand on pense que je suis maintenant caricaturé par un nez et des lunettes. Je ne trouvais pas ça rock du tout. À la fin de mon adolescence, dès que je sortais de chez Mimi, je les enlevais, et j'ai passé des années dans le flou, des années à me cogner partout. Je suis peut-être devenu artiste ainsi, en rêvant ce que je voyais. En inventant la réalité. Tous les écrivains portent des lunettes, et on croit que c'est parce qu'ils lisent beaucoup. Je suis convaincu du contraire : c'est parce qu'ils ne voient rien qu'ils développent les capacités nécessaires à l'écriture.

Je rêvais d'être écrivain. Mes premières révélations artistiques, je les dois à Lewis Carroll dont je vous ai déja parlé. *Alice au pays des merveilles* est sûrement l'œuvre qui m'a le plus influencé. C'est un univers qui n'a cessé de voyager en moi, exaltant la seule chose qui me soulageait : la distorsion de la réalité. Dans ma tête se sont formées des histoires avec des monstres et des lapins roses. J'ai commencé à faire des petites bandes dessinées, et je les cachais dans un coin de ma chambre. Ou bien je mettais des messages codés au cas où Mimi serait tombée dessus. Je ne voulais pas qu'elle puisse comprendre quoi que ce soit. Et puis elle jugeait toujours mal ce que je faisais. La folie qui s'installait en moi n'était pourtant que la vision que j'avais de notre ville. Je ne sais pas si c'était lié à la fin de la guerre, mais Liverpool était rempli de boiteux et d'édentés. La pauvreté jouait forcément, provoquait toute cette difformité ambulante. Et la nuit je faisais de longs cauchemars dans lesquels je traînais à travers les ombres et les bouseux. Tant de mes souvenirs sont des souvenirs de cauchemars...

Pourtant, on vivait dans un quartier confortable. J'étais un petit-bourgeois, dans une maison avec un bout de jardin. Ce qui ne fut pas le cas des autres Beatles. Eux, c'étaient des vrais prolos. Les atroces images de ma ville, je devais les voir lorsqu'on sortait. Deux fois par an, Mimi autorisait une grande expédition. Je me faisais beau. J'avais l'impression que ma vie était palpitante. On allait à la grande revue de Noël au Liverpool Empire. Et puis l'été, il y avait une autre grande sortie. Souvent, c'était pour aller voir un film de Disney. Je me demande maintenant comment j'ai fait pour passer ces années-là avec si peu de distractions. Ces années à mourir dans le jardin, en attendant d'avoir envie de pisser pour arroser les fleurs. Certains ont vu en moi un prince de l'exubérance, et ils seraient bien étonnés de savoir que tout ça est né d'un grand mutisme. J'étais reclus. On restait des journées entières à ne rien faire, et je contemplais la solitude. Je suis né de cette solitude. On pense qu'il faut lire, écrire, tout observer pour devenir un artiste. Rien de tout ça. Mon imagination a pris ses racines dans le rien. Les artistes naissent du néant.

J'en rajoute peut-être un peu. Nos enfances deviennent souvent des déserts quand on les évoque. Il y avait quand même de la visite. J'avais des cousins et des cousines. On se marrait facilement, je faisais le pitre ou mon malin, enfin quelque chose pour signifier que j'étais là. Avec ma famille, je n'avais pas à subir la question que j'ai entendue toute mon enfance : « Mais pourquoi tu vis avec ta tante ? » Pas une journée sans qu'on me pose cette foutue question. Qu'est-ce que je devais dire ? Que ma mère s'était barrée comme une sale pute ? Je ne savais pas quoi répondre, alors je me taisais, ou je poussais l'abruti qui me posait la question. Je ne cognais pas encore, mais je crois qu'une certaine violence est née comme ça en moi, à cause de l'excitation incessante des autres. Je ne comprenais pas pourquoi les gens voulaient toujours savoir quelque chose, pourquoi il y avait en permanence des cons que ça excitait de savoir que ma mère n'était pas là. J'ai connu beaucoup de violence plus tard, à Liverpool et à Hambourg bien sûr, mais cette violence-là, celle des mots et des regards qui vous font sentir que vous êtes différent, je la ressens encore maintenant, elle me glace comme la préméditation d'un meurtre.

Ça a joué dans mon sentiment de me savoir différent. Oh oui, j'étais différent. J'ai tout de suite su que j'étais un génie. J'avais en moi la part de souffrance nécessaire à la formation du génie. Je ne crois pas avoir changé avec la célébrité : ce sont les autres qui ont changé. C'est le monde entier qui a subitement compris qui j'étais.

Le génie a commencé avec des visions. Tout n'était qu'une question de perception des choses. J'étais John au pays des merveilles. Un pays dont j'étais Dieu. Le sentiment de ma puissance s'est formé là, et je ne cherchais pas à le cacher. Pourtant, personne ne voyait ma mutation.

J'étais persuadé qu'elle allait sauter aux yeux de tous, mais non, je demeurais invisible. Le génie se forme comme une maladie sournoise. Il me rongeait de l'intérieur, je le sentais, mais il fallait encore du temps pour le rendre évident. J'avais peur parfois d'être fou. Dans mon lit, je me racontais des histoires tout doucement, et il m'arrivait de rire, ou de pleurer, je ne sais plus. Ma sensibilité mélangeait mes larmes. Il n'y avait plus aucune frontière entre mes émotions.

Mimi me répétait que j'étais un petit fou, et ça a commencé dès le jardin d'enfants. Je faisais des pâtés de sable de travers. J'ai dû piquer des tétines ou voler des goûters, car je me suis fait virer. Ma tante a dû me changer de bac à sable. Je me souviens que, dès notre plus jeune âge, on nous bassinait avec un examen qu'il ne fallait absolument pas rater. À six ans, on nous menaçait déjà d'avoir une vie de merde. La plupart de mes profs m'ont angoissé. Et quand j'ai grandi, ça a empiré. Ils me regardaient tous comme si j'étais un demeuré. Non, pas tous, mais presque tous. Au collège, ils voulaient que je devienne médecin ou dentiste. Comme si je voulais fourrer mon nez dans la gueule des gens toute la journée. C'était pour eux l'ultime accomplissement d'une vie. L'orgasme de la vie professionnelle. Mais bon, si ça avait été le cas, j'aurais été le plus grand dentiste de tous les temps. J'aurais révolutionné la façon de faire des bridges. J'aurais rempli des stades de gens en train de me regarder retirer une dent. J'allais être grand, quoi qu'il arrive.

Si j'étais un petit caïd à l'extérieur, je ne faisais pas de vagues à la maison. Je voulais être aimé. Je voulais être le petit John de Mimi, je voulais qu'elle soit heureuse. Elle me faisait peser le poids de tous les sacrifices qu'elle accomplissait pour s'occuper de moi. Alors je devais être rentable. Je devais à tout prix lui rendre la monnaie de sa gentillesse. Être un gentil garçon. Ce que j'étais aussi sûrement. J'avais beaucoup de faiblesse en moi, et c'était lié à mon émotivité. Tout me transperçait. Ma fragilité était ma peur. Mon introversion venait de là : je ne voulais pas qu'on m'abandonne encore.

J'étais très proche de George, mon oncle. Il ne s'est jamais comporté comme un père, mais plutôt comme un grand frère. Mimi était dure, et il était mon allié en prenant souvent ma défense. Il y avait une vraie connivence entre nous. On écoutait la radio ensemble, il me faisait goûter de l'alcool et m'avait même offert un harmonica. Il avait vécu et beaucoup voyagé, ce qui me fascinait. Je l'aimais, et je l'aime encore. Je parle de lui, car je crois que c'est par lui qu'est arrivée la fin de mon enfance. Il est mort d'un coup, comme ça. Il est le premier d'une longue série tragique, cette série qui fait de ma vie un chemin étroit entre les cadavres. Mort comme ça oui, d'une hémorragie du foie. On était là, on parlait, et je ne me rappelle plus très bien, mais, quelques minutes après, tout était fini. Mimi était effondrée, et je ne savais que faire. Je ne pensais pas qu'elle pouvait pleurer. Je n'avais jamais imaginé qu'elle puisse avoir un cœur qui saigne. Quelques heures après le drame, je suis monté dans ma chambre avec l'une de mes cousines. Et on s'est mis à rire. Je m'en veux encore de ce rire. C'est un rire qui me dégoûte. On ne savait pas pourquoi on riait, mais on était là, comme si la mort n'était rien pour nous. J'étais perdu, et je ne savais pas ce qu'il fallait faire. Tout ce qui venait d'arriver ne me paraissait pas possible.

Mimi a été très entourée, par la famille, par les amis. Mais les choses ont vite repris un cours normal. C'était fou. Elle était même capable de faire de l'humour sur le cadavre encore chaud de son mari. Je lui dois beaucoup de mon cynisme. Je trouvais ça si bizarre de voir que la mort ne nous tue pas. C'est à cette époque que ma mère s'est mise à passer un peu plus souvent à la maison. Sa présence me gênait vraiment. Parfois, je ne voulais pas la voir et j'allais me cacher dans le jardin. À d'autres moments, je restais là, planté devant elle, idiot d'admiration. On m'avait tellement dit qu'il ne fallait pas poser de questions, alors je ne savais rien d'elle. Enfin si, je savais l'essentiel : elle vivait avec Dykins et avait deux filles. Mais je ne connaissais même pas son adresse. C'est un de mes copains qui m'a dit où elle habitait. J'ai alors appris que sa maison était juste à côté de chez nous. Ça m'a fait atrocement mal de me rendre compte qu'elle avait été si proche toutes ces années où j'avais souffert à en mourir de son absence. Mais j'étais comme tous les enfants qui s'inventent des histoires pour ne pas haïr leurs parents. J'ai transformé cette découverte si blessante en nouvelle positive : ma mère était tout près de moi, et je n'avais qu'à traverser un parc pour la retrouver. Ce que j'ai fait un jour.

J'ai sonné chez elle. Mon cœur battait à tout rompre, comme pour un rendez-vous amoureux. Elle a ouvert la porte et m'a regardé fixement. Je ne sais pas comment décrire cet instant. Elle est restée sans bouger, sûrement figée par la surprise. Et puis subitement elle m'a pris dans ses bras en soufflant : « Mon garçon, mon grand garçon. » Je ne m'attendais pas du tout à une telle effusion, et j'ai tout fait pour ne pas montrer mon émotion. Je voulais avoir l'air d'un homme devant ma mère. Ce moment me remplissait d'une joie immense, mais cette joie était trouble. C'était une joie qui me dévastait. Comment pouvait-elle me témoigner une telle affection, elle qui n'avait jamais cherché à me voir ? Elle souriait, elle me souriait encore, et j'ai compris que ce n'était pas le moment de se poser des questions. Il fallait simplement savourer la beauté de nos retrouvailles. C'était instinctif, c'était fort. Les dix années de notre séparation s'envolaient. Le présent, de son évidence rageuse, chassait le passé. Nous l'avons tous les deux compris ce jour-là,

je le sais. Je l'ai vu dans son sourire et son soulagement. On ne se quitterait plus jamais. Elle
allait être le centre de ma vie. L'éternité de
l'amour maternel commençait enfin.

Sixième séance

Ça fait un moment que j'ai déserté votre canapé. Nous sommes partis au Japon... de longs mois. Voir la famille de Yoko. Mais bon, le voyage n'a pas duré aussi longtemps que ça. Je ne voulais plus venir ici. Après la dernière séance, j'ai compris que je voulais arrêter de parler. Si je venais à nouveau, on allait évoquer la mort de ma mère. Je voulais vraiment laisser tomber. Et puis quelque chose s'est passé. Quelque chose qui m'a brutalisé et soulevé des ténèbres. Ce quelque chose, c'est la mort d'Elvis[1]. Au début, je n'y ai pas cru. Je me suis dit que ce n'était pas possible. Il y a des gens qui ne peuvent pas mourir. Ou disons : il y a des gens qui n'ont pas le droit de mourir. C'était comme si on m'annonçait ma mort. Je me suis senti si proche de son corps... En état de communion avec sa dérive : qui mieux que moi peut le comprendre ? Moi, et les trois autres Beatles. Nous avons connu la même folie et la même hystérie. Nous avons

---

1. Elvis Presley est mort le 16 août 1977, à l'âge de quarante-deux ans, dans sa propriété de Memphis.

connu ce qui déracine un homme du reste des hommes.

Il y a quelques jours, j'ai lu un article où l'on me comparait à Elvis. Si j'avais disparu médiatiquement, c'était parce que j'étais gros comme lui. Et chauve. Oui, selon le journaliste, je ne faisais plus de disques car je n'avais plus de cheveux. Il y a tant de rumeurs qui courent sur moi... Comme si c'était forcément morbide de ne plus donner de nouvelles, de ne plus faire de musique. Si ça se trouve, je ne reviendrai jamais. Je vais être la Greta Garbo du rock. Il n'y a rien à dire. Je suis juste un artiste qui fait une pause, qui s'occupe de son fils et qui revient vous voir car il est flingué par la mort d'Elvis.

Si je suis ce que je suis, c'est parce que Elvis a été ce qu'il a été. Il a dynamité ma vie. Je n'oublierai jamais la première fois que je l'ai entendu. J'ai cru que mes oreilles avaient des jambes. Qu'elles se mettaient à courir dans mon cerveau et dans mon corps. Tout cela est tellement lié à ma mère. Quand j'ai renoué avec elle, on s'est mis à sortir un peu. Elle était devenue mon héroïne absolue. Elle me fascinait. Elle était si belle, si libre, si folle. Elle était comme une grande sœur pour moi. Elle parlait assez librement de ses désirs, ce qui me gênait parfois, mais au fond je crois que j'aimais qu'elle me choque. Je me disais que sa liberté de parole était le terrain de notre connivence. Et puis je m'échappais enfin du cocon de bonnes manières de Mimi. Ma mère dansait, chantait et jouait du banjo. C'est elle qui m'a appris mes premiers accords. La musique est ainsi entrée dans ma vie. On avait un peu de mal à communiquer au début. C'était si étrange de reprendre subitement une relation après dix ans d'absence. Alors les disques parlaient à notre place. Et surtout Elvis. On l'écoutait, et il y avait aussitôt une chaleur entre nous. Quelque chose qui brisait la glace, et qui nous faisait bouger. Elvis était notre thérapie. Et Elvis me réveillait de ma léthargie. Quand on allait au cinéma, on voyait des images des filles en train de crier, et c'est là que j'ai compris que c'était un bon job d'être une star. On voulait tous être Elvis, et j'étais bien loin alors d'imaginer que non seulement j'allais être Elvis, mais que je le dépasserais au point de le rendre *has been*.

Pour moi, cette première période d'Elvis a toujours été la meilleure. Ils lui ont coupé les couilles en lui coupant les cheveux. Il n'aurait jamais dû partir à l'armée. Il a voulu prouver qu'il était comme tout le monde, qu'il était patriote, mais quelle connerie. C'est peut-être facile de juger maintenant. On n'a pas été confrontés à ce choix. On a eu une veine incroyable. Une veine qui a tout permis. Les gens le savent peu, mais c'est la suppression du service militaire en Angleterre qui a permis aux Beatles d'exister. Vu notre différence d'âge, on n'aurait jamais pu jouer ensemble. Ringo et moi, on serait partis. Puis l'année d'après cela aurait été le tour de Paul, et l'année suivante de George. Ils ont quand même parfois de bonnes idées, ces cons d'Anglais. Quand Elvis est revenu aux États-Unis, son public avait un peu changé. Les filles n'étaient plus les mêmes. Et peut-être bien qu'elles n'étaient plus excitées par lui. Le service militaire, la soumission aux ordres, ça gomme forcément un peu l'aspect sexuel de la transgression. Enfin, j'essaye de trouver des excuses. Car la vraie raison de son déclin, c'était nous.

On rêvait des États-Unis, mais on se disait qu'on irait là-bas seulement quand on serait numéro un. Pas avant. Et c'est ce qui s'est passé avec *I want to hold your hand*. Ça, je m'en souviens bien. On était à Paris, on jouait devant le pire public possible, et c'est là que Brian nous a annoncé l'incroyable nouvelle. On était dépassés par tout ce qui nous arrivait, mais là c'était le Graal. Tout devenait fou. Avec Paul, on avait passé des vacances quelques années auparavant à Paris. C'est là qu'on avait eu notre première grande émotion érotique en découvrant une serveuse avec des poils sous les bras. Ça nous avait fascinés. On devait aller en Espagne mais on a tout annulé juste pour venir voir cette fille tous les jours. On buvait des bières pendant des heures, en attendant qu'elle lève les bras ! Pendant notre séjour, on avait dormi dans des hôtels pourris, traîné à Montmartre avec les putes. Et voilà que maintenant, tranquillement installés au *George-V*, on apprenait notre conquête américaine. On se répétait en boucle le truc. Toutes les dix secondes, on se disait : « Tu te rends compte ? Tu te rends compte ? » On était comme des dingues. On savait que c'était le moment d'y aller. Le pays qui nous fascinait tellement nous attendait. Mais on ne pouvait pas imaginer qu'on aurait un tel accueil. On est arrivés dans un climat d'hystérie générale. C'est quelque chose qui ne peut plus vous quitter : l'impression d'être attendu par des dizaines de milliers de personnes dans un pays où vous n'avez jamais foutu les pieds. Dans le monde entier, c'était comme ça.

On a fait le *Ed Sullivan Show*, l'émission la plus importante du pays. On a explosé le record d'audience. Plus de 70 millions de téléspectateurs, je crois. Juste avant qu'on se mette à jouer, Sullivan a lu un message d'Elvis. Il nous souhaitait la bienvenue, alors que ça le faisait vraiment chier qu'on se pointe dans son pays. Après tout, lui, il ne venait pas traîner en Angleterre. Ce mot avant l'émission, c'était une idée de son manager, le colonel Parker, pour faire croire qu'il était beau joueur. Des années plus tard, on a appris qu'il avait carrément cherché à nous nuire. Il a écrit à Nixon pour dire qu'on se droguait et qu'on était antiaméricains. Mais on s'en fout, c'était de bonne guerre. On avait détrôné le roi.

Pendant toute notre première tournée, on ne cessait de dire : « Il est où, Elvis ? Il est où, Elvis ? » C'était devenu notre blague. On voyait tout le monde, les plus grands artistes, les stars inaccessibles, tous cherchaient à nous rencontrer, mais toujours pas d'Elvis en vue. Brian essayait d'organiser la rencontre avec Parker, mais il y avait toujours un problème de lieu, de logistique. Nous, on n'attendait que ça. C'était notre maître, notre dieu. On aimait les États-Unis car c'était son pays. Mais rien à faire, il nous a fait poireauter longtemps. Jusqu'au moment où il s'est décidé. Le matin de la rencontre, je me suis réveillé avec le visage de ma mère devant les yeux. Elle avait appelé son chat Elvis. On avait passé tant d'après-midi à écouter ses disques. Je pensais plus que jamais au salaud qui l'avait tuée. Je me disais que si elle avait été encore là, elle aurait pu ouvrir avec moi les yeux sur le rêve.

La rencontre s'est passée dans une maison qu'il louait en Californie. Il devait être en train de tourner l'un de ses innombrables navets. Il y avait toute une clique autour de lui. Vraiment une immense clique. Nous, on se promenait en petit comité, et je préférais ça. On s'est tous assis autour de lui, comme s'il était une sorte de gourou. Avec du recul, je me dis qu'on devait avoir l'air cons à le regarder comme ça. Mais bon, c'était Elvis. Il ne souriait pas, ne cherchait pas à nous mettre à l'aise. Il y avait sûrement un côté Yalta de la musique, car ça faisait vraiment réunion au sommet. Une réunion de deux mondes si différents. Finalement, il s'est levé, et il a commencé à nous parler de son mobilier. On a complètement halluciné de voir un billard dans son salon, et je crois même qu'il y en avait plusieurs. Et puis surtout : toutes les télévisions. C'est là que j'ai vu pour la première fois une télécommande. Il nous a montré comment ça marchait. On était avec Elvis, et on s'extasiait sur une machine qui pouvait changer les chaînes à distance.

Un peu après, j'ai dû dire un truc qui l'a vexé. Je n'ai pas fait exprès. J'ai parlé de ses premiers disques, sous-entendant qu'il devrait peut-être reprendre dans cette veine-là. Il m'a regardé avec un air qui disait : mais t'es qui, toi, sale petit con, pour me donner des conseils ? Son sourire avait la dimension d'un meurtre courtois. C'était vraiment une rencontre étrange. Elle était chaleureuse, calme, sympathique, et pourtant il y avait comme quelque chose de violent qui se tramait, une souffrance sous-jacente. Elvis s'est détendu petit à petit, il souriait, mais à ses yeux on était toujours quatre connards d'Anglais qui lui avaient piqué sa place. Finalement, comme c'était pas un bavard, on s'est mis à jouer un peu. Quelques chansons, juste pour ne pas s'avouer qu'il ne se passait rien d'extraordinaire pendant la rencontre. Sa femme est passée un instant ; c'était si bizarre, elle était comme le billard, il nous la montrait, et hop, elle devait retourner d'où elle venait. Il avait peur de quoi ? Qu'on lui pique aussi ? Bizarrement, en voyant le côté animal triste de Priscilla, j'ai pensé à Cynthia[1].

---

1. Cynthia est la première femme de John Lennon. On va la découvrir dans quelques pages.

C'était peut-être notre seul point commun. On avait les mêmes femmes. Des femmes vivant dans l'ombre de notre ego.

On ne lui a pas dit à quel point on l'admirait. Il le savait très bien. On n'allait quand même pas lui lécher le cul, alors que lui, il n'était pas capable de nous dire quoi que ce soit sur notre musique. On s'en foutait après tout. On était des fans ce soir-là. Juste des fans plus célèbres que leur idole. Quelques années auparavant, j'avais tout fait pour lui ressembler. J'étais coiffé en banane. Je portais une veste en cuir et un jean remonté par un ourlet. J'avais vraiment l'air d'un dur, ce qu'on appelait un Teddy Boy. Mimi, ça la rendait folle de me voir comme ça. Elle espérait que c'était une crise d'adolescence et que ça passerait. Mais moi je savais que je m'affirmais. La musique m'avait réveillé, et ce serait pour toujours. Pourtant, je cherchais tout le temps à la ménager. Elle n'était pas au courant de toutes les conneries que je pouvais faire. Son amour a été comme une frontière, une sorte de limite à mes dérives. Je ne l'ai pas vue depuis des années, mais je l'appelle souvent, je prends de ses nouvelles. Elle me dit toujours les mêmes choses. Elle dit que je ne finis jamais mes phrases et que je suis trop généreux. Je crois qu'elle s'est habituée maintenant à ce que je suis. Ce qui la rendait folle, c'était la guitare. Elle disait que ça ne mènerait à rien, que je perdais mon temps. Sa phrase exacte, qui est restée célèbre, c'était : « La guitare c'est bien joli, John, mais

ce n'est pas avec ça que tu gagneras ta vie. »
Je m'en souviens, car je lui ai fait un cadre avec
cette phrase écrite à l'intérieur. Elle l'a mis au-
dessus de sa cheminée.

Pour ne pas faire de peine à Mimi, je ne lui
disais pas que je voyais souvent ma mère. Elle
m'aimait comme une mère, et éprouvait donc
la peur maternelle de me perdre. Mais on n'a
pas pu se cacher bien longtemps. On traînait
partout en ville. Et ma tante a découvert la
vérité. Il y a eu une très grosse dispute entre
les deux sœurs. Mimi accusa ma mère de saccager tout son travail fourni pour mon éducation. Elle n'avait jamais été là, et voilà qu'elle
réapparaissait pour devenir une mauvaise
influence. J'étais en pleine crise d'adolescence,
le moment des sentiments injustes, alors c'est
vrai que je ne supportais plus Mimi. Je voulais
en finir avec cette vie étriquée. Ma mère était
comme une bouffée d'air. Après leur dispute,
j'ai décidé de déménager chez elle. Je retrouvais
ma place sur la photo. Mais tout cela n'a pas
duré très longtemps. Dykins a vu d'un mauvais
œil mon retour. Il voulait bien que sa femme
voie son fils, mais il n'avait pas envie de se le
coltiner tous les jours. J'ai compris assez vite
que ça ne marcherait pas. Je veux dire : il n'y
a pas eu de discussion. Je suis parti avant que
ça ne devienne problématique. J'ai tellement
été rejeté que je suis capable de sentir l'avant-
goût du rejet avant même qu'il ne soit prononcé.

Pendant plusieurs jours, j'avais laissé Mimi sans nouvelles. J'imagine à quel point elle a dû souffrir de se retrouver ainsi seule. Je suis rentré un soir, sans faire de bruit. Je n'ai vu personne dans le salon. Elle devait être dans sa chambre. Je suis resté un instant devant sa porte, et j'ai hésité à frapper. Mais il n'y avait rien à dire. Je suis allé me coucher. Ma chambre était parfaitement rangée. Les draps étaient propres. Il y avait toujours eu quelque chose de froid ici, mais à cet instant ce froid me touchait profondément. Ce froid était l'endroit qui m'avait le plus aimé toute ma vie. Je me suis endormi, épuisé. Le lendemain, j'appréhendais un peu la discussion avec Mimi, mais elle était déjà partie. Sur la table de la cuisine, mon petit déjeuner était là, m'attendant avec toutes les choses que j'aimais. Il y avait tant de délicatesse dans la préparation de ce repas. Cette vision m'a ému aux larmes.

J'ai fait attention à la protéger davantage après ça, mais c'était compliqué. Elle voyait bien que je dérapais de la route des études. Je ne pensais qu'à la musique. Et je voyais ma mère toujours aussi souvent. On jouait des morceaux ensemble. On écoutait des disques sur son grand phonographe à manivelle. Elle était si exubérante et si inventive. Un jour, je me souviens qu'elle a dessiné un énorme papillon jaune dans la salle de bains. Elle avait écrit en dessous : « Si vous voulez que vos dents aient la couleur du papillon, c'est simple : ne les brossez pas. » Les heures passaient si vite quand on se voyait. Et je vivais comme une brûlure le moment où je devais rentrer. Où je devais la quitter. Ça me renvoyait en pleine figure son attitude : elle m'avait abandonné. Mon amour se transformait alors en une souffrance terrible. J'étais perdu, je ne savais que penser, je ne voulais plus jamais la voir, elle m'avait fait trop de mal, et puis elle me manquait, elle me manquait comme personne ne m'avait jamais manqué, et je voulais la revoir le plus vite possible. C'était la chorégraphie incessante de mon cœur. Au fond, on était si proches, si identiques. Elle avait été le mouton noir de sa famille, et quand elle lisait les appréciations sur mes bulletins du type « Parti pour rater », elle semblait presque fière. Elle me mettait toujours en valeur. Elle me faisait comprendre que la vie n'était jamais là où les autres voulaient qu'elle soit. Il fallait arpenter nos propres chemins, sans jamais faire l'économie des douleurs potentielles. Et c'est elle qui m'a poussé à monter mon premier groupe.

Je pense qu'elle voulait vivre à travers moi ce qu'elle avait raté. Elle voulait tellement chanter, se produire sur scène. Elle l'a fait quelquefois, avant d'abandonner. Je ne sais pas vraiment pourquoi. On lui avait tellement dit qu'elle faisait les choses de travers qu'au bout d'un moment elle a décidé d'être mère au foyer et c'est tout. Le rêve de gloire et la vie de bohème avaient été soufflés par la réalité. Maintenant, elle me motivait. J'ai expliqué à quelques copains qu'on allait être riches et célèbres, et que toutes les filles seraient folles de nous, alors tout le monde a voulu être dans le groupe. En référence au nom de notre lycée, je l'ai appelé The Quarry Men. Et voilà comment a débuté l'histoire des Beatles. Et je pourrais même préciser que ça a commencé dans des chiottes. Je crois que je ne l'ai jamais dit, mais c'est dans les chiottes du lycée que j'ai annoncé la naissance du groupe.

On a commencé à répéter. C'était sûrement pathétique au début. Faut dire que je n'étais pas aidé par les bras cassés qui m'entouraient. Mais il y avait de la bonne volonté, et j'y croyais. Comme jamais je n'avais cru en quelque chose. La densité s'installait en moi. Et je me sentais protégé. J'ai compris très vite qu'être dans un groupe, c'était avoir une carapace. La vie en bande permettait de ne plus être seul, de ne plus affronter les situations d'une manière autonome. Et cela me procurait une grande force. Il ne pouvait plus rien m'arriver. C'est cette sensation de force qui a fait de moi un leader. J'avais changé, et les regards sur moi aussi étaient différents. Notamment celui des filles. C'était tellement étrange de voir ça. Elles commençaient à me tourner autour. Je me souviens d'une qui me suivait partout. J'avais dû coucher avec elle un soir ou deux. À l'époque, j'aimais bien emmener les filles derrière un buisson. C'était en quelque sorte... mon buisson ardent. Mais bon, je ne voulais surtout pas m'attacher. Une petite rousse avait carrément sonné chez ma mère. J'ai dû demander à mes sœurs d'inventer quelque chose pour qu'elle parte. Maintenant que j'y repense, je me dis que cette fille-là était comme ma première groupie.

Pendant des mois, on a repris des standards. Il n'y avait aucun moyen de trouver les bons accords et les bonnes paroles. On se démerdait comme on pouvait. Mais ce n'était pas grave, on se foutait de la précision. Ce qui comptait, c'était l'énergie. On a joué à droite à gauche dans des rades pourris, jusqu'au jour où on a été engagés à la fête paroissiale de Woolton. On était vraiment contents, car on savait qu'il y aurait du monde. C'était le 16 juillet 57. Difficile de ne pas me souvenir de la date. Tout le monde me bassine avec depuis des années. Le programme de la journée était délirant. Je crois bien que le clou du spectacle, c'était le dressage de chiens policiers. Ou des majorettes finlandaises, je ne sais plus. Je me souviens surtout de mon angoisse car Mimi était venue nous écouter pour la première fois. Ma mère aussi était là, comme à chaque concert. Je me suis mis à boire de la bière, beaucoup, beaucoup, et avec la chaleur l'alcool me montait à la tête. Mais sur scène, je ne ressentais plus ma nausée. Sur scène, j'entrais dans un autre corps.

J'étais le roi du monde ce jour-là. Je faisais quelque chose que j'aimais, tout le monde me regardait, les filles gloussaient, je buvais et je crachais, j'allais réveiller cette foutue ville de Liverpool. Après avoir joué, on s'est retrouvés tous ensemble. Ivan, un de mes potes, est venu me voir. Il était accompagné d'un gamin. Avec une tête de beau gosse en gestation. Je suis resté un instant à les regarder. Ivan a simplement dit : « Je veux te présenter quelqu'un. Il s'appelle Paul. » Alors ce Paul m'a tendu la main en se présentant : « Paul McCartney. » Et voilà... C'est là que Paul est entré dans ma vie. C'est là que le destin m'a chatouillé de sa grâce. Est-ce que sans lui je serais allé si loin ? Je ne sais pas. Mais bon, à cet instant, je ne pouvais vraiment pas me douter de la suite. Si vous aviez vu sa tête, une sorte de moustique puceau, c'était pas gagné d'avance.

Septième séance

Paul passe me voir de temps en temps, quand il est à New York. C'est étrange de se dire qu'on a renoué. J'ai longtemps pensé qu'on ne pouvait pas revenir de la haine qu'il y avait eue entre nous. J'ai dit et j'ai même chanté des horreurs sur lui. Mais bon... Peut-être que tout ça participe au mythe ? La violence de notre désintégration est à l'image de notre succès. Une désintégration planétaire. C'est exactement ça : nous avions une histoire d'amour avec le monde. Ça complique forcément les choses. Surtout quand on sait que, une histoire à deux, c'est déjà beaucoup d'emmerdes.

Au fond, quand j'ai rencontré Yoko et que le groupe a explosé, j'étais juste un mec qui tombait amoureux et qui délaissait ses potes. C'était absolument typique. Sauf que là, les potes en question étaient les hommes les plus célèbres du monde. Alors ça a pris des proportions dingues. J'ai pensé que c'était vraiment fini, pour toujours. J'ai pensé que Paul était un salaud, un arriviste, un calculateur, et puis tant d'autres mots. Au fil des années, il a réincarrné progressivement dans mon esprit les plus belles choses que je savais de lui. Je ne peux pas dire qu'on a reconstruit un lien, mais on marche sur nos cendres sans nous brûler, et c'est déjà beaucoup. Ce n'est pas la première fois que des amitiés adolescentes s'évaporent quand vient l'âge adulte. Quand les divergences et les modifications apparaissent. C'est ce qui nous est arrivé. On a juste emprunté des voies différentes pour vivre notre vie d'adulte. Même si personne ne nous laisse ce droit. On est unis quoi qu'il arrive. Quand les gens pensent à lui, ils pensent à moi. C'est ainsi. Nous sommes sur le même bateau, et c'est le bateau le plus difficile à manœuvrer. On a beau essayer de le saccager, de lui envoyer des icebergs à la gueule, rien à faire, il demeure là, insubmersible de son mythe.

J'ai toujours admiré les efforts de Paul pour que nous soyons unis. Ce qu'il a fait avec le groupe, il le fait encore avec moi. Même avec Yoko, il essaye d'être un gentleman. Mais bon, parfois, il débarque ici, et je lui dis qu'on n'a plus quinze ans. Faut qu'il téléphone avant. On ne peut plus passer comme ça les uns chez les autres. Paul a toujours un pied dans les années 50. J'ai l'impression qu'il a traversé notre folie sans avoir été modifié. Il me fascine pour ça. Je suis mort et j'ai revécu des millions de fois, alors que lui, il est toujours là, immobile et hiératique avec son sourire de notre rencontre. Avec lui, la première impression est une condamnation à la perpétuité.

Et quelle première impression ! Ivan voulait me le présenter pour qu'il nous joue quelque chose. Je n'ai jamais eu d'intuition, mais là, ça a été le summum de mon manque de clairvoyance. En le voyant, je me suis dit qu'on allait se marrer. Et puis il a pris sa guitare, en me regardant droit dans les yeux. Il ne semblait pas inquiet. C'est surtout ça qui m'a étonné. Il m'a avoué plus tard qu'il était hyper impressionné, surtout parce que je puais l'alcool. Mais ça ne s'est pas vu. Il a démarré *Twenty flight rock* d'Eddie Cochran, puis il a enchaîné avec *Be Bop a Lula* de Gene Vincent. J'ai oublié tant de choses dans ma vie. L'amnésie est ma drogue principale. Mais ça, c'est toujours là. Entièrement. Note par note. Ça me tuait de voir qu'il connaissait toutes les bonnes paroles. Ça, c'était fort. Il assurait vraiment, ce petit con. Mais je ne voulais pas lui montrer. Ce n'était pas une attitude rock de dire des choses gentilles, ou simplement d'exprimer ses émotions. J'ai dû lui balancer que c'était pas mal.

Quand il est reparti, il est resté dans ma tête. C'était la première fois que je rencontrais quelqu'un d'aussi bon que moi. Peut-être même de meilleur. J'avais un choix à faire. Je pouvais me passer de lui et rester le grand chef des bras cassés. Par contre, si je voulais qu'on devienne bons, c'était évident que j'avais besoin de lui. Mais quelque chose me gênait : son visage. Il faisait tellement jeune. Sa tête de poupon contrariait mon énergie rebelle. Je ne me voyais pas faire des concerts avec un mec comme ça à mes

côtés. Mais qu'est-ce qui était le plus important ? L'image ou le son ? Je n'ai pas réfléchi
si longtemps que ça : il fallait que Paul vienne
jouer avec nous. J'avais pris ma décision, mais
je ne voulais pas me rabaisser à lui demander
d'intégrer le groupe comme une faveur. J'ai
envoyé quelqu'un lui faire la proposition. Je
crois qu'il n'a pas dit oui tout de suite, il a fait
son malin. Et puis, deux ou trois semaines plus
tard, il s'est pointé. Nous avons alors débuté
notre union.

Le rajeunissement n'allait pas s'arrêter là.
Paul m'a présenté George. Et lui, pour le coup,
c'était vraiment un gamin par rapport à moi.
Pas loin de trois ans de moins. C'était plus possible. On allait vraiment se foutre de notre
gueule. J'allais finir par recruter à la crèche, si
ça continuait. Paul a insisté, alors j'ai accepté
d'écouter le petit. Ça s'est passé à l'étage d'un
bus. Il était mal assis, et j'ai pensé qu'il allait
tomber. Et que tout cela allait être ridicule.
Encore mon beau sens de l'intuition. Il s'est mis
à jouer. Comme pour Paul, il a suffi de quelques secondes pour que la messe soit dite. Il
était incroyable techniquement. Je n'avais
jamais vu ça. Je lui ai dit que c'était bien, et
il m'a regardé avec ses grands yeux. Comme si
j'étais le pape. Vraiment, j'ai cru qu'il voulait
me baiser les pieds. Pour lui, entrer dans un
groupe avec des mecs qui étaient quasiment des
adultes, ça devait être aussi beau qu'un dépucelage. En le prenant, je ne me doutais pas du
dommage collatéral : il allait me suivre partout,

comme un caniche. Il ne voulait pas me lâcher, il me foutait la honte. Quand je traînais avec des filles, il était souvent là, derrière moi, à ne rien dire. J'ai été très dur avec lui au début du groupe. Avant d'admirer progressivement sa discrétion, avant de voir toute son élégance.

Voilà comment on a commencé tous les trois. Voilà comment j'ai formé les Beatles. J'avais seize ans. En croisant des gamins dans la rue, je me dis parfois qu'à leur âge j'avais déjà fondé le plus grand groupe de tous les temps. Les gens pensent qu'on a percé tout de suite, mais on a galéré pendant des années. Au début, on prenait tout ce qui nous tombait sous la main. On allait à droite à gauche. On jouait, et ça nous rendait heureux. J'étais le leader, tout le monde m'écoutait. Mon groupe était mon premier public. On aimait bien organiser des concours de branlette, et alors on pensait tous à Brigitte Bardot pour pouvoir gagner. On était dingues de Bardot. Dingues à en crever. Dès qu'on voyait une fille, on se demandait si elle était bardotisable ou pas. Des années plus tard, j'ai eu l'occasion de la rencontrer. Ça a été une catastrophe. Faut dire que ça m'angoissait tellement d'approcher le mythe absolu de la féminité. D'avoir rendez-vous avec mon fantasme. J'étais si timide que je me suis défoncé à l'acide avant d'y aller. C'était censé me décontracter, mais du coup j'ai été incapable d'aligner trois mots. À ce qu'on m'a dit, j'ai même fini allongé sur le tapis du restaurant en prétextant que ma séance de méditation transcendantale ne pouvait pas attendre. Je suis habitué à foirer les rencontres décisives, mais là c'était carrément un saccage. Bardot a vraiment dû me prendre pour un allumé. Bon, bon.... Passons. Je reprends... J'en étais où ? Ah oui... le concours de branlette. Tout le monde pensait à Bardot, et moi, pour casser l'ambiance et l'excitation, je criais : « Winston Churchill ! » Enorme pouvoir de Churchill pour te faire débander. Après, c'est mort. C'est le nom qui tue. Churchill ! Enfin, faut être anglais pour comprendre. Bon, maintenant, ça ne paraît peut-être pas aussi drôle que ça. Faut se remettre dans le contexte sûrement.

On se marrait. On traînait. On nous regardait comme des marginaux. Car l'Angleterre de la fin des années 50, ça ressemblait à un film suédois. Impossible de faire plus sinistre. C'est dingue comme les choses ont changé vite. Mais à l'époque, fallait surtout pas faire de vagues. Fallait marcher dans le costume. Tout le monde nous matait dans la rue. Et on avait envie de ça. On avait envie de choquer. On n'avait pas envie d'avoir une vie de merde. On voulait gagner du fric et se taper plein de filles. Je ne les comprenais pas, tous ces petits mecs bien propres sur eux, tous ceux qui fantasmaient sur la vie rangée de leurs parents. Je ne comprenais pas comment on pouvait vivre sa jeunesse comme ça. Pour moi, c'étaient eux, les marginaux. Ils étaient si jeunes et si vieux. Ils étaient si jeunes et si anglais. Ils avaient de la poussière dans leur idée de l'avenir.

Paul ne sortait pas beaucoup avec nous. Sa mère était morte d'un cancer, alors il restait le plus souvent possible à la maison avec son père. J'aimais bien finalement qu'il ne soit pas présent pendant mes moments de beuverie et de folie. Nos instants de création demeuraient des instants volés à l'agitation. On passait beaucoup de temps ensemble. On s'est mis très vite à composer des chansons. Et pas que des chansons d'ailleurs ! Je me souviens d'une pièce de théâtre. C'était l'histoire d'un mec qui se prenait pour Jésus. Tiens, faut croire que ça me trottait déjà dans la tête. Il y avait quelque chose de fou avec Paul. On était absolument complémentaires. C'était très bizarre de voir naître cet équilibre. Nous sommes nés égaux. C'est ce qui a été beau dans notre collaboration. On s'aidait, on se complétait, mais on ne s'influençait pas. Quand on écoute toutes les chansons des Beatles, on voit bien à quel point chacun a conservé son terrain sonore. On a passé une décennie à se mélanger, sans jamais déteindre l'un sur l'autre. Je crois que notre succès vient de là : de cette étrange alchimie entre l'autonomie et l'union. On s'est dit qu'on voulait être le nouveau duo de compositeurs à la mode, comme Rodgers et Hammerstein. Et on a décidé de signer Lennon-McCartney pour toutes nos compositions. Paul voulait qu'on fasse McCartney-Lennon, mais ça sonnait moins bien. Et puis j'étais le plus fort. Je pouvais lui casser la gueule s'il n'était pas content.

Mimi n'appréciait pas de voir la musique devenir ainsi le cœur de ma vie. Heureusement, elle aimait bien Paul. Contrairement à George qui la dégoûtait avec son accent prolo. Elle ne voulait pas qu'on joue dans la maison, alors on composait dans la véranda. Mais ça allait, l'acoustique était plutôt bonne. Et dans ma chambre, on écoutait des disques. On les analysait. Tout ça me touche quand j'y pense. Je me dis qu'il s'agissait d'une belle partie de ma vie. Surtout que les choses s'étaient alors un peu apaisées entre ma mère et ma tante. À mesure que je grandissais, elles ne pouvaient plus se battre pour moi. Ma mère était enfin devenue raisonnable. Elle avait quarante-quatre ans. Elle s'occupait bien de ses filles. Je me souviens des journées qui ont précédé le drame. Et je comprends maintenant qu'il y a toujours quelque chose d'inquiétant dans la tranquillité des heures. Oui, nous pouvions être heureux. Alors forcément, on allait nous plonger dans la souffrance. Cette souffrance qui est le refrain de ma vie, qui est mon véritable tube. Et même là, maintenant que je suis épargné, je ne peux passer un jour sans ressentir l'ombre du drame au-dessus de ma tête.

Je peux facilement imaginer ma mère en train de marcher, elle est sur le trottoir, elle marche vite, elle a toujours eu l'allure de ces femmes pressées, celles dont on a l'impression qu'elles ont toujours des choses incroyables à vivre : ce sont les héroïnes qui courent. Elle a alors croisé un ami à moi, il est passé à vélo tout près d'elle, ils ont échangé un sourire, son dernier sourire. Oui, mon ami a été le témoin de son dernier sourire. Quelques secondes plus tard, un flic bourré l'a écrasée pendant qu'elle traversait. Quand il a vu ma mère surgir devant lui, il a appuyé sur l'accélérateur au lieu du frein. Voilà comment elle est morte, ma mère, à cause d'un mauvais choix de pied.

Tout était fini.

Elle était enfin revenue dans ma vie, et je la perdais une seconde fois. Un flic a sonné chez nous. Il m'a regardé, et m'a annoncé que ma mère était morte. Comme ça. En une phrase. On est partis avec Dykins à l'hôpital. J'étais effondré, mais ma douleur était parasitée par celle de Dykins. Il reniflait tout le temps, se lamentait sur son sort. C'était horrible. Il a dit : « Mais qui va s'occuper des filles mainte-nant ? » ou quelque chose comme ça, et ça a ajouté du dégoût au dégoût de cette journée. Je voulais le buter lui aussi. Mais bon, il était complètement paumé. Aussi orphelin que moi, d'une certaine façon. Il a été incapable de dire la vérité à mes sœurs pendant un moment. Il est allé voir le corps de ma mère, mais moi, je ne pouvais pas. J'étais tétanisé. Je voulais conserver pour toujours une image d'elle pleine de vie.

Certains fans ont remercié le flic qui avait tué ma mère ; ils sont persuadés que sans lui je n'aurais jamais accédé au firmament émotionnel. Les idiots. C'est à la violence que j'accédais. Toute la rage du monde s'installait en moi. C'était une injustice insoutenable. Je voulais retrouver le meurtrier, venger ma mère, surtout que le salaud a été innocenté. Il fallait qu'il paye. Il n'y avait pas de raison pour que je monopolise ainsi la souffrance. Et puis ma haine, au bout du compte, s'est éparpillée partout. Ce policier était devenu chaque personne que je croisais. Tout allait être différent. Plus personne ne pouvait me retenir. Je me suis dit : je n'ai plus personne maintenant. Je suis seul au monde. Je suis libre d'être violent. Je suis libre d'être fou.

Huitième séance

Je me suis réfugié plus que jamais dans les mots, les dessins et la musique. J'ai intégré les Beaux-Arts de Liverpool. Je me suis rendu compte plus tard que pas mal de rock stars avaient fait les mêmes études. C'est à cette époque que j'ai rencontré Stu. Stuart Sutcliffe. Et voilà, ça continue. Je n'en reviens pas de voir que ma vie est une succession morbide. Je vais parler de Stu, et ça va encore me terroriser. Enfin, je dis ça, mais je me suis habitué à vivre avec son fantôme. Il y a comme une culpabilité à survivre, non ? Surtout si l'on survit aux génies. Stu en était vraiment un. Un de ces êtres qui font de chaque journée un monde. Il m'a appris tant de choses. C'est sûrement la personne que j'ai le plus admirée. Notre rencontre a été un coup de foudre amical. Et peut-être plus. Je l'ai aimé. Je l'ai aimé comme j'ai aimé les femmes. Il avait une aura démentielle. Il ressemblait à James Dean, paraissait toujours très cool avec ses Ray-Ban et ses jeans moulants, et quand il était à la basse, il faisait fondre n'importe quelle fille dans les parages.

On vivait dans une espèce de squat dégueulasse. Ça me changeait de chez Mimi où chaque chose était à sa place depuis des décennies. Venir nous voir était une sorte d'intronisation dans la saleté. On prenait ce qui nous tombait sous la main pour faire des meubles. On utilisait des couvertures trouées pour faire des rideaux. Les ampoules ne marchaient jamais. On dormait sur des canapés qu'on trimballait tout le temps dans l'appartement. Si un truc puait trop, au lieu de l'enlever ou de nettoyer, on bougeait notre lit quelque part où notre horizon nasal pouvait être à l'abri. Je me souviens surtout qu'on se caillait là-dedans. On devait brûler les meubles pour se chauffer. Et c'est à cette période que je me suis mis à boire. À boire vraiment. Ce qui me rendait de plus en plus agressif. J'ai commencé à avoir une sale réputation. Un jour, j'ai saccagé une cabine téléphonique. Tout le monde en parlait, et moi je me sentais con qu'un truc pathétique comme ça, lié à l'alcool, ait pu être connu de tous. J'avais la célébrité du délabrement. Je ne sais pas comment j'ai fait pour ne pas finir en taule à cette époque. J'ai échappé miraculeusement à la vie maudite.

Mes exploits plaisaient aux filles. Surtout à celles de bonne famille qui s'excitaient de mes grossièretés. Mais je m'en foutais. Je les prenais, je les jetais, je les maltraitais. Il y avait cette brune un peu coincée qui me regardait tout le temps. C'était Cynthia. Je ne la trouvais pas assez Bardot au départ. Heureusement, elle s'est fait teindre en blond. Elle était gentille, le genre pas chiante, mais bon, j'étais un vrai salopard. Je reportais sur les femmes toutes mes frustrations. On avait pourtant un rapport très passionnel. C'était toujours des disputes à n'en plus finir. Je lui interdisais de parler aux autres hommes, et il n'y avait pas de discussion à avoir, je cassais tout si elle ne faisait pas ce que je voulais. Au bout de quelques mois, elle a décidé de me quitter vraiment. Parce que j'avais dû sortir avec une autre fille devant elle ou un autre truc dégueulasse comme ça. Je ne pouvais pas supporter qu'on me quitte. J'étais un ultra-possessif. Un jaloux à en crever. Même avec mes amis d'ailleurs. Ça me rendait fou que Stu passe trop de temps avec une fille. Je n'arrivais jamais à être dans la mesure. Mon corps brûlait dès que je voyais quelqu'un s'éloigner. Cyn n'a pas suivi les conseils de ses proches et est finalement revenue. Faut croire qu'elle m'aimait sincèrement. Je disais que j'allais faire des efforts, que tout irait bien, mais ça ne durait pas. Je lui en ferais toujours baver. Et ça serait comme ça jusqu'à notre atroce séparation quelques années plus tard.

Paul et George étaient encore lycéens, mais ils passaient souvent me voir. Je les sentais émerveillés par le bordel de ma vie. Et surtout : j'étais actif sexuellement alors qu'ils végétaient encore au stade puceau. On passait de plus en plus de temps ensemble. On répétait. C'est à ce moment-là que Pete Best a intégré le groupe. Ça me fait bizarre de dire son nom. On a été de beaux salauds avec lui aussi. Enfin bon, c'est pareil dans tous les groupes de rock. Il y a des cadavres entre les mélodies. On lui a proposé de jouer avec nous, car il avait une bonne réputation. Et qu'il était doué. C'est vrai aussi qu'il n'y avait pas beaucoup de batteurs à Liverpool. Et même, tout simplement, des mecs qui avaient une batterie. On a été bien contents qu'il accepte. Ça changeait tout de l'avoir. On était maintenant trois guitaristes et un batteur. Il nous manquait un bassiste. Stu assistait à nos répétitions, aux discussions à propos du groupe. Il nous regardait un peu de haut. Il ne vivait que pour la peinture. C'était sûr qu'il aurait un grand avenir. Il venait d'ailleurs de vendre une toile. On avait tous été très impressionnés par ça. Avec Paul, on l'a convaincu de s'acheter une basse avec l'argent. Je dis avec Paul, mais c'est surtout moi. Je voulais à tout prix qu'il fasse partie du groupe. Je voulais tout le temps être avec lui, et c'était le seul moyen. Pour lui, la musique était un art mineur. Je me suis énervé. Il n'avait aucun sens de son époque. Si Van Gogh vivait maintenant, eh bien, il ferait de la basse plutôt que de peindre des iris. Voilà ce que je lui ai dit. Malgré son apparent détachement pour ce qu'on faisait, j'ai été surpris de le voir céder si vite. Au fond, ça lui plaisait, l'idée de faire de la musique. L'idée d'être en bande. Alors il s'est acheté une basse. Une magnifique basse Hofner.

Et voilà : les Beatles étaient prêts.

On a commencé à être engagés à droite à gauche. On faisait surtout des concours au début. On se retrouvait à jouer entre deux numéros de cirque. Je me souviens d'un groupe avec un nain. Et puis il y avait aussi une fille qui jouait avec des cuillers. Cette connasse raflait tout. Son numéro impressionnait les jurys. On n'avait qu'une envie : lui faire bouffer ses cuillers. On prenait tous les engagements dans les salles de bal. Tous ces plans pourris, ça nous a soudés. Je ne sais plus si c'est à ce moment-là ou un peu après, mais on a joué avec Johnny Gentle. Un mec comme lui, tu ne peux pas en faire deux. Ça me foutait en l'air de voir qu'il faisait des disques, qu'il avait un public venant l'acclamer. Je le trouvais ringard comme pas possible, tout étriqué. Un minable enchaînant les ficelles des années 30 pour ramasser des sourires à de vieilles édentées. Mais bon, on était payés, et c'était l'essentiel. On a même fait une tournée en Ecosse avec lui. Johnny Gentle, il est rentré dans l'histoire juste parce que les cons qui l'accompagnaient pendant sa tournée de merde, les cons à qui il ne parlait pas, étaient les Beatles. Enfin bon, on faisait le boulot. Et on le faisait bien. On a commencé à avoir une bonne réputation. Et c'est pour ça qu'on nous a proposé d'aller jouer à Hambourg. Un autre groupe s'est désisté au dernier moment, alors ça nous est tombé dessus comme ça. Fallait vite se décider. Ça nous paraissait dingue de partir à l'étranger, pendant plusieurs semaines, peut-être plusieurs mois. Et puis, c'était Hambourg. Une ville à la réputation ultra-sulfureuse. Sûrement la ville la plus trash d'Europe. On n'a pas hésité longtemps avant de dire oui. On était vraiment excités. On se doutait de la folie qui nous attendait, mais on ne pouvait pas imaginer que ça serait pire que ça.

L'arrivée là-bas a été un choc. On a halluciné. On était si jeunes. Et George, lui, carrément mineur. On a dû trafiquer ses papiers pour qu'il puisse jouer. Reeperbahn était le quartier des putes et des marins. C'était le cœur de toute la débauche. Quand on s'est pointés dans le club, on a lu la déception dans le regard du patron. C'était donc nous les Anglais censés mettre le feu ? Faut dire que, les premiers jours, on avait l'air vraiment timides. Fallait du temps pour prendre ses marques dans cette ambiance de lupanar géant. Il nous a montré où on allait dormir. On était tellement contents d'être là qu'on n'a rien dit. Mais bon, c'était vraiment dégueulasse. On n'avait même pas de douche. On allait passer des mois à puer, à vivre dans la sueur de nos concerts. Nos lits étaient disposés dans des espèces de chiottes, à l'arrière d'un cinéma. On allait être réveillés tous les jours par les séances du matin. Vu qu'on se couchait très tard, on a vite compris qu'on ne dormirait pas. De toute façon, Hambourg est une ville où il ne faut jamais fermer l'œil. La nuit, il y avait toutes les filles qu'on ramassait. C'était souvent les putes du coin qui nous aimaient bien. Ou des petites Allemandes qui venaient s'encanailler dans la crasse. On les ramenait dans notre taudis et on les échangeait.

On a tous assisté au dépucelage de George. Il n'avait pas vu qu'on était là. Quand il a fini son affaire, on a allumé la lumière. Et on l'a tous applaudi. Il nous a traités de sales cons, avant de se marrer. C'était bien.

Le club était un endroit merdique, une boîte à strip-teaseuses que le gérant voulait transformer en scène rock. Les clients s'attendaient à voir des nichons et tombaient sur des Anglais pas très excitants. Alors fallait assurer. Au début, il y avait peut-être deux ou trois personnes dans la salle. On pensait qu'on allait se faire virer. Mais le bouche à oreille a bien marché. On était comme des dingues. On devait jouer pendant sept ou huit heures d'affilée. Fallait faire traîner les chansons. Je me souviens qu'on tenait au moins une heure sur un morceau de Ray Charles. Et on picolait comme des trous. On jouait bourrés. On s'est mis à prendre des amphétamines pour tenir le coup. On bouffait sur scène, et j'ai même dû pisser une fois en jouant. Quand j'étais raide, je traitais le public de nazis. Et je faisais le salut hitlérien. Les gens n'avaient jamais vu ça. Il y avait juste un problème qui entachait la magie : Paul pensait que Stu n'était pas à la hauteur. Et il avait sûrement raison. Mais je ne voulais pas prendre parti. Ils se sont battus une fois sur scène. Et les gens ont dû penser que ça faisait partie du show. C'était complètement plausible.

On a grandi là-bas. En quelques semaines, j'ai vécu dix ans. On a surtout progressé musicalement. On s'est rendu compte qu'on était vraiment bons. Au début, on se faisait appeler par des noms très cons. Paul, c'était Paul Ramon. George était devenu Carl. Et moi Long John. Mais bon, ce délire n'a pas duré très longtemps. On était les Beatles. Les gens venaient de plus en plus nombreux. Je sentais que quelque chose de fort se passait, quelque chose d'électrique qui ne pourrait plus s'arrêter. Il y avait plein de groupes anglais qui jouaient dans le quartier. Ringo était là, avec le sien. On est devenus amis à ce moment-là. Mais il y avait une grande rivalité. Il fallait être les meilleurs. Et on était déjà les meilleurs. Pourtant, le contexte n'était pas facile. Tous les soirs, on devait lutter contre tous ces mecs bourrés qui faisaient un boucan pas possible. On devait les emmener dans le champ de notre musique. Et faire en sorte qu'ils ferment leur gueule.

Un serveur nous a raconté comment il piquait du fric aux marins bourrés. On voulait faire pareil. Un soir, on a trouvé une cible. J'ai des sueurs froides en repensant à tout ça. Tout était si violent, si extrême. Après le concert, on s'est mis à boire avec notre marin. Le mec était vraiment sympa, il nous payait des coups, et il disait du bien de notre musique. Au moment de l'addition, j'ai vu son portefeuille rempli de billets. J'ai fait signe aux autres qu'il fallait s'en occuper. On est sortis. Paul et George se sont dégonflés, et je suis resté avec Pete à marcher dans l'obscurité avec ce type qui ne nous avait rien fait. Mais on voulait son fric. On en manquait. Je ne sais plus dans quel état j'étais à ce moment-là. C'était chacun pour soi, la vie était une saloperie, et il n'aurait pas dû nous mettre son pognon sous le nez.

On a traversé un parking peu éclairé. C'était le bon moment. On s'est jetés sur lui. Je me souviens de son regard. Il a eu l'air vraiment surpris. On lui a foutu des grands coups de pied dans le bide. Il implorait qu'on arrête, mais on a continué à le tabasser, comme ça, sans raison, comme des fous. Je dis nous, mais c'était surtout moi. Je débordais d'une violence inouïe, et il fallait qu'elle sorte. C'était absurde : je continuais à m'exciter comme un taré alors qu'on lui avait déjà pris son fric. Au bout d'un moment, il m'a repoussé fortement avec son pied. Et il en a profité pour sortir quelque chose de sa poche. J'ai tout de suite pensé que c'était un flingue, et que j'allais me prendre une balle. Mais je ne suis pas sûr, car on ne voyait rien. On a fait marche arrière et on s'est barrés. On a couru si vite qu'on a perdu le portefeuille en chemin. On avait fait tout ça pour rien.

Une heure après, j'étais dans mon lit, je tremblais de froid. On se gelait les couilles dans notre chambre. J'avais mal au ventre. J'avais trop bu, encore. Et je me repassais le film de notre agression. J'ai pensé que je l'avais peut-être tué. Et puis je me suis dis que non, il ne devait pas être mort. Mais alors, c'était certain qu'il allait venir se venger. Venir me buter. J'ai pensé toute la nuit que ma vie était foutue, et que je méritais toute la merde qui allait m'arriver. Le dégoût envahissait ma bouche. Je ne pouvais pas dormir, je pensais à nos rires de traîtres avant l'agression, au visage surpris du marin, et je me voyais encore et encore le frapper à mort. Cette nuit ne finirait jamais. J'étais un homme malade, j'étais un homme méchant. Et puis, je me suis écroulé de fatigue. Les jours suivants, je n'ai cessé de penser qu'on viendrait m'arrêter. Mais non, rien. Aucune nouvelle. Je n'ai jamais plus entendu parler de lui. Est-ce qu'il est mort ? Je ne crois pas. On aurait trouvé son cadavre. Il a dû fuir. Prendre un bateau pour aller quelque part. Il a quitté la ville, mais il est resté tout près de moi. Je le sens encore, des années après. Ses cris me hantent. Sa vengeance, c'est la contamination de mes nuits.

Quelques mois plus tard, on était acclamés dans le monde entier, ce monde qui nous voyait comme de parfaits gendres, bien propres sur eux. Des gentils garçons dans le vent qui chantent des chansons d'amour pour adolescentes en fleurs.

Neuvième séance

Est-ce que ça m'a fait du bien de parler de tout ça ? Je ne sais pas. Je me dis juste que mon énergie pacifiste est le fruit de ma violence. Que j'ai tout fait par la suite pour canaliser ma haine. Et les drogues m'ont sûrement aidé en détruisant mon ego, en détruisant ma capacité d'action. Je n'ai cessé de chanter la Paix, et c'était ma propre paix que je cherchais. Des tentatives pour être en paix avec moi-même. Cette quête de l'absolution parasite mes mélodies.

Je voudrais encore parler de Hambourg. Je voudrais aussi dire les belles choses. Et surtout : les belles rencontres. Tout est arrivé avec Klaus. C'était un Allemand très raffiné, chose qui me paraissait absolument impossible au départ. Le soir de notre rencontre, il s'était disputé avec sa petite amie, Astrid. C'était la fin de leur histoire. Enfin, je ne suis même pas sûr qu'ils aient vraiment été ensemble. Il s'était mis à marcher dans sa ville. Souvent, dans ces moments-là, on est propulsé vers le glauque. Lui qui ne venait jamais dans notre sale quartier est tombé dans notre trou. Il nous a parlé après le concert. Il semblait admiratif. Mais c'était comme une admiration intelligente. C'était la première fois qu'on voyait un Allemand qui posait les mots. Peut-être que c'était le premier Allemand non bourré qu'on rencontrait, tout simplement. Il est revenu plusieurs fois, puis il a amené Astrid. Ils faisaient partie d'une mouvance qu'on appelle les *exis*. Ils étaient une sorte de variation des existentialistes français. Avec eux, on entrait dans un terrain de densité. On quittait la bassesse dans laquelle on était vautrés depuis notre arrivée.

Astrid nous a invités chez elle. Et on était si heureux d'aller chez quelqu'un, de voir autre chose de la ville. Tout était noir dans son appartement. Dans mon souvenir, on en a profité pour se doucher, mais c'est sûrement anecdotique, ça. Elle était photographe, et lisait beaucoup. Elle nous a parlé de Beckett, Genet, Camus. J'ai hoché la tête en faisant mine de connaître bien sûr. J'étais gêné par mon inculture. Je lisais Rimbaud à ce moment-là, sur les conseils de Stu. Astrid était fascinante. Je n'avais jamais rencontré une fille comme elle, une fille dont je buvais les paroles. Et même son silence, je le buvais. Nous sommes tous tombés fous d'amour. Maintenant que j'y pense, je me dis qu'elle était une sorte de Yoko blonde. Je rêvais déjà inconsciemment de rencontrer une femme artiste, une femme que j'admirerais intellectuellement.

Mais elle ne regardait que Stu. Il y avait quelque chose d'évident entre eux. Ils n'avaient pas besoin de parler pour se comprendre. On courait après eux comme des chiens. On tenait la chandelle. Une chandelle avec de moins en moins d'intensité, car ils avançaient vers la pénombre d'une chambre. Alors, ils se sont vus seuls. Au bout de deux mois, ils ont décidé de se fiancer. J'ai pris la nouvelle comme un poignard dans mon avenir. Je ne le supportais pas. Je ne savais pas vraiment ce que je ressentais, tout était toujours mélangé en moi, mais ça me rendait très agressif. Astrid a dit qu'elle pensait que j'étais amoureux de Stu, et j'ai trouvé ça ridicule. C'était sûrement elle que j'aimais. Enfin, je ne sais pas. Je n'ai aucune idée du chemin à prendre pour accéder à mon cœur.

J'ai fini par être heureux pour eux. Et puis j'avais Cynthia. Elle est venue me rejoindre, et ça m'a apaisé. Oui, vraiment, sa présence m'a fait un bien fou. Pourtant, en dehors de ses visites, elle n'occupait jamais mes pensées. Il y a quelques mois, je suis tombé sur une interview où elle parlait des interminables lettres d'amour que je lui écrivais pendant mes séjours allemands. Je ne sais pas où est la vérité. Je me suis dit qu'elle ne mentait pas, que je devais lui écrire beaucoup, oui, et avec de l'amour dans les mots, mais mes mots devaient être motivés par la culpabilité. La culpabilité liée à mes sentiments pour Astrid, et la culpabilité liée à toutes les putes qu'on se tapait. Il faut toujours se méfier des lettres d'amour.

Les tensions au sein du groupe persistaient et Stu a finalement annoncé qu'il nous quittait. C'était atroce. Je ne voulais pas qu'il parte. Et pourtant, si je suis honnête, je dois dire que j'ai été soulagé. Je n'aurais jamais pu le virer, et c'est vrai qu'il n'était pas à la hauteur pour jouer avec nous. Paul avait raison, et il le remplaça à la basse. C'était mieux ainsi. Stu a été heureux de prendre cette décision, et il a intégré l'Ecole des beaux-arts à Hambourg. Son talent était exceptionnel. Et ses toiles si rares se vendent très cher maintenant. J'ai conservé de nombreux dessins de lui près de moi, ils m'accompagnent dans mes voyages, ils me protègent de toutes les larmes qui pourraient m'envahir quand je pense à lui.

Notre premier voyage à Hambourg s'est très mal fini. On a dû quitter précipitamment le pays. Ça a été horrible. Comme il y avait de plus en plus de monde à nos concerts, on a été démarchés par un autre club. C'était une belle opportunité. Mieux payée, et une salle plus grande. On a donc décidé de se barrer. Le propriétaire a tellement fait la gueule qu'il a balancé George aux flics. Il y avait un couvre-feu pour les moins de dix-huit ans, alors son infraction était grave. Il a été expulsé aussitôt. On voulait rester sans lui, mais on a fait une connerie en mettant le feu aux coulisses du club pour se venger. Enfin, bref, on s'est fait virer aussi. On est rentrés crevés, et sans la moindre perspective. J'étais très déprimé. J'avais cru que les choses seraient plus simples, que notre marche vers la gloire avait commencé. Mais on avait trébuché, et personne ne nous attendait ici.

Stu me manquait. Il était mon ami le plus proche, et je devais vivre sans lui. On s'écrivait de longues lettres. Il évoquait son travail, ses visions et ses influences, et ses maux de tête de plus en plus fréquents. Il m'envoyait des photos prises par Astrid, et je le voyais avec sa nouvelle coupe de cheveux. Cette coupe qui serait celle des Beatles. La première fois qu'on l'avait vu comme ça, on s'était vraiment marrés. C'était pas possible. Plus tard, George a suivi le mouvement. Et on s'est tous laissé convaincre de se couper les cheveux comme ça. On ne se doutait pas de l'importance que cela aurait sur notre carrière. Pete, lui, voulait résolument demeurer dans la banane. C'était assez symptomatique de nos rapports. Je n'avais rien à lui reprocher à ce moment-là, mais il maintenait toujours une distance. Il avait ce côté batteur introverti qui plaisait aux filles. Mais on ne se disait pas encore qu'on voulait le virer. Il était bon, je trouve. Enfin, disons que ça allait. Et puis, grâce à sa mère, on jouait à La Casbah, un club qu'elle tenait, et on était bien contents d'avoir cet endroit pour faire des concerts à Liverpool. Elle s'est démenée pour nous, cette femme, mais ça me foutait en rogne quand elle disait « le groupe de mon fils » en parlant des Beatles. C'était mon groupe.

Quelques mois plus tard, on est repartis pour Hambourg. On était si heureux de se retrouver là-bas. On avait décroché un contrat avec de très bonnes conditions. C'était fini le temps où l'on dormait dans les chiottes. On avait l'impression d'avoir déjà atteint la gloire, alors qu'au vu de la suite, je peux le dire maintenant : on était au fœtus de la gloire. Mais à l'époque ça nous paraissait déjà dingue. Surtout qu'on y allait en avion. Fini les heures à s'emmerder dans le train. Je me souviens du bonheur que j'éprouvai dans le ciel ce jour-là. Le soir, on devait inaugurer un nouveau club. On allait mettre le feu. On parlait des morceaux qu'on allait jouer, de ce qu'on allait faire, ça allait être dément. J'étais heureux, et j'oubliais que le bonheur est toujours au rivage de la douleur.

J'avais la vie dont je rêvais, celle des voyages et de la musique. On est descendus de l'avion tous les quatre, on marchait lentement, avec nos instruments et nos lunettes noires. On cherchait Astrid et Stu du regard. Je l'ai vue aussitôt, elle seule, debout dans un coin. C'était si facile de ne pas la voir, et pourtant je me souviens comme mon regard a été attiré par elle. J'ai marché vite, j'ai senti que quelque chose n'allait pas. Je voyais son visage, elle ne bougeait pas. Les autres sont restés en retrait. Je ne crois pas avoir pensé immédiatement que Stu était mort. J'ai pensé à quelque chose de grave peut-être. Ou qu'il avait simplement fui ou abandonné Astrid. Enfin non, ça, ce n'était pas possible. On n'abandonnait pas Astrid. Elle s'est alors approchée de moi, elle semblait si petite, et c'était tellement typique, son charisme et sa puissance, tout ça était mort aussi. Je l'ai serrée dans mes bras, et il fallait que les mots sortent vite. Elle m'a dit : il est mort. Elle m'a dit : il est mort. Elle m'a dit : il est mort. Elle a chuchoté comme ça, trois fois, et j'ai reçu trois coups de poignard dans le cœur.

Ce n'était pas possible. Je ne pouvais pas parler. Je ne pouvais pas pleurer. Elle m'a dit qu'il souffrait, qu'il avait de plus en plus de mal, qu'il avait des migraines terribles ces derniers jours, il criait, il ne supportait plus la lumière et voulait se jeter par la fenêtre. J'en ai voulu à Stu de ne pas avoir partagé avec moi l'intensité de sa douleur. Il me disait qu'il avait mal, mais je ne pouvais imaginer un tel calvaire. C'était son élégance, de mourir en silence. Astrid m'a raconté comment il était tombé la veille. Elle avait cru à un jeu, à une blague, mais il ne s'était jamais relevé. Victime d'une hémorragie cérébrale. Il y a des morts qui paraissent plus scandaleuses que d'autres. Il y a des morts qui sont insoutenables. Stu avait tout pour lui. C'était un génie de vingt et un ans. Toute ma vie, je n'ai cessé de penser : « Pourquoi pas moi à sa place ? » J'ai serré longuement Astrid dans mes bras, et les autres aussi sont venus l'entourer. Pendant les semaines qui suivirent, elle est restée prostrée, livide et abattue, morte vivante, morte par la mort de Stu. J'allais la voir, je ne savais que dire ni que faire. J'étais si mal aussi. Et puis, un jour, je l'ai regardée droit dans les yeux en lui demandant : « Tu préfères vivre ou tu préfères mourir ? » Je crois qu'il fallait résumer ainsi la suite du programme. Je veux dire, ça ne servait à rien de nuancer, c'était la décision qu'il fallait prendre. Rien d'autre. À chaque brûlure dans ma vie, je me suis posé la même question. Il fallait réduire l'espace des possibilités à cette dualité extrême. Astrid m'a regardé, et elle a dit qu'elle voulait vivre.

Le soir de notre arrivée, le soir même de la journée où j'ai appris la mort de Stu, il a fallu jouer. Je ne sais plus si on a hésité à annuler, mais je ne crois pas, il était évident qu'on devait jouer. Pour Stu. Et pour nous. Pour avancer. Pour survivre à la douleur. Je suis monté sur scène avec une boule dans le ventre. Je n'ai cessé de me tourner vers l'endroit où il se trouvait habituellement. Je n'ai cessé d'imaginer encore sa présence. Et puis les morceaux se sont enchaînés. Le public était si heureux de nous revoir. Alors je me suis mis à courir dans les chansons.

Dixième séance

Quelque chose se passait. On sentait bien que notre réputation prenait de l'ampleur. On parlait de plus en plus de nous à Liverpool. On était en train de devenir des gloires locales. Il y avait des journalistes qui nous demandaient nos goûts et nos dégoûts. À notre retour de Hambourg, tout le monde était effaré de voir à quel point on parlait bien l'anglais. On nous croyait allemands ! L'excitation générale était justifiée. Sur scène, on donnait tout. On offrait notre jeunesse. Et le public nous renvoyait une telle énergie. Ça nous électrisait. Le groupe était soudé. On pouvait se suivre les oreilles fermées. Je savais maintenant que rien ne nous arrêterait.

C'est là qu'on a commencé à jouer au Cavern Club. Un club minuscule qu'on allait rendre immense. Il fallait descendre par un escalier très étroit pour arriver dans la salle. Les gens se frôlaient. C'est peut-être pour ça qu'ils venaient ! Dans l'espoir vaguement érotique de se coller, de se retrouver dans un petit corps à corps. Il n'y avait presque pas d'air. Et ça puait vraiment. Un mélange dégueulasse de sueur et du désinfectant utilisé dans les toilettes. La plupart du temps, on jouait le midi. Les gens venaient nous écouter en bouffant un sandwich. Il y avait de plus en plus de monde. La foule se tassait. On était comme dans un métro bondé à une heure de pointe. Et notre destination était le rock. On reprenait tous les standards. On avait tellement joué en Allemagne qu'on savait quels morceaux raflaient la mise. C'est ici que les filles se sont mises à crier. C'est d'ici que l'invasion du monde a commencé.

Mais qu'est-ce qu'on devait faire ? On ne savait rien. On se disait qu'il était peut-être temps d'enregistrer un disque. Mais on n'avait aucune idée de comment s'y prendre. Quand j'y pense, je me dis que les choses ont été simples. Car c'est à ce moment-là que Brian Epstein est entré dans nos vies. Il allait tout changer. Plus tard, quand il est mort dans de sales circonstances, on a un peu déchanté. On a découvert ce qu'il nous avait fait signer. Il était vraiment nul pour les contrats. Enfin, nul pour nous. Lui, il est devenu milliardaire. Mais bon, fallait avoir un pied dans l'avenir pour savoir qu'on allait devenir le groupe le plus rentable de l'histoire.

Brian tenait un magasin de disques à Liverpool. Plusieurs personnes lui ont demandé le même jour un disque des Beatles. C'est ce qui l'a poussé à venir nous écouter. C'était quelqu'un de précieux, et ça n'a pas dû être très agréable pour lui de descendre dans notre cave. Comme Klaus à Hambourg, il visitait un endroit qui dérapait de ses repères. Mais faut croire qu'il y a pris goût, car il est revenu. Plusieurs fois. Puis, il s'est décidé à nous parler. Il ne paraissait pas très à l'aise. C'est ce que je me suis dit au début, mais lentement le charme a opéré. On a apprécié ce type qui nous paraissait bien élevé, sérieux, raffiné. Et juif. Je crois que c'est le père de Paul qui avait dit que c'était bien de confier ses affaires à un Juif. Alors voilà, quand il nous a proposé d'être notre manager, on l'a pris très au sérieux. Surtout qu'on n'avait rien d'autre. Il nous a convaincus qu'il pouvait, avec tous ses réseaux et sa connaissance de l'industrie du disque, nous décrocher un contrat. On a finalement accepté de s'engager avec lui pour cinq ans. Il toucherait dorénavant 25 % de tous nos revenus. Cinq ans plus tard, on en serait à *Sgt. Pepper*, alors faites le calcul. Mais bon, quand on a signé, on avait vraiment l'impression que c'était lui qui nous faisait une faveur.

Je me suis tout de suite bien entendu avec lui. J'étais son préféré, c'était évident. Dans son bureau, il y aurait surtout des photos de moi. Je crois qu'il m'a aimé dès la première seconde. Je suis même persuadé que c'est son amour pour moi qui lui a fait signer les Beatles. Sans son envie de m'avoir dans son lit, on serait peut-être toujours restés à jouer dans une cave.

Comme moi, il avait été élevé par des femmes. Sa mère était une sorte de diva. Elle s'habillait le soir pour dîner, et c'était une cérémonie quotidienne qui le fascinait. Je peux si facilement l'imaginer assis en culotte courte sur son canapé en train d'attendre l'apparition féminine avec de grands yeux. On n'a pas tout de suite su qu'il était homo ; on s'en foutait, mais ça jouait beaucoup sur son caractère. À l'époque, c'était un délit. Il devait se cacher. La société le poussait à avoir honte. Et ça provoquait chez lui des comportements autodestructeurs. Il allait dans des bars, cherchait les emmerdes, se faisait tabasser. Après sa mort, on a entendu tellement de trucs sordides. Il avait souffert d'une sale histoire. Un mec l'avait fait chanter. Pour mettre fin au calvaire, il avait dû avouer sa vie à sa famille et porter plainte à la police. Tout ça l'avait rendu complètement névrosé. On sentait chez lui comme une interdiction d'être qui il était. Une interdiction d'exister. C'est peut-être pour ça qu'il s'est mis à vivre exclusivement pour nous.

Brian était incroyablement précis. Avec lui, tout était cadré. Il nous faisait des notes tout le temps pour tout. C'était un maniaque de la note. Mais ce n'était pas qu'un manager. Il s'investissait aussi beaucoup dans l'artistique. C'était par dépit qu'il avait repris le magasin familial. Il avait déjà raté de nombreuses choses, dans le milieu théâtral notamment. Quand on s'est mis à marcher fort, il avait l'air du type ébahi qui a gagné au Loto alors qu'il ne joue plus. Il vivait son rêve, enfin. On était sa troupe. Il a décidé de beaucoup de choses qui ont fait notre succès. Il choisissait nos habits, insistait pour qu'on mette une cravate, et surtout, c'est lui qui nous a poussés à faire notre salut, tous les quatre ensemble, à la fin de chaque concert. Lentement, il a façonné l'image Beatles. Toute cette image que j'ai haïe par la suite. Car, au fond, on a fait les putes. On est partis à contre-courant de tout ce qu'on était. Mais il a réussi son coup. Ses conseils nous ont permis d'accéder au sommet.

Il nous manquait toujours l'essentiel : un disque. On a fait une maquette, et on l'a envoyée à toutes les compagnies. On a été refusés partout. Faut le faire quand même. Personne ne voulait des Beatles. Brian a insisté auprès des producteurs pour qu'ils viennent nous voir jouer sur scène, car c'est là qu'on était grands. Mais rien à faire, ça ne marchait pas. Tous ces nuls s'en sont mordu les couilles après, quand on les écrasait à coups de millions de disques vendus.

Ce qu'on aimait chez Brian, c'était son optimisme. Il était tellement sûr que ça marcherait pour nous. Alors on ne paniquait pas. On se disait qu'il fallait juste attendre un peu. Pour patienter, il nous dégottait plein de concerts. On devenait vraiment importants dans toute la région. On a même fait un show pour la BBC, et on n'en revenait pas de voir l'impact que ça avait. Je me souviens que, ce jour-là, Pete a été plus acclamé que nous. Est-ce que ça a compté ? On a dit qu'on l'avait viré parce qu'il était plus populaire, plus beau, plus je ne sais quoi... On a dit que j'avais peur qu'il ne me fasse de l'ombre. C'est vrai que les gens l'aimaient, Pete. Ce que je ne comprenais pas. C'était un mec très à part. Après toutes ces années sur la route, je n'avais toujours pas le sentiment de le connaître. Mais bon, ça doit être un peu vrai, cette histoire de jalousie.

Enfin ce n'était pas que ça. On a eu une proposition pour enregistrer un disque. Et le producteur, George Martin, a mis en doute les capacités de Pete. On ne l'a pas défendu une seconde. Depuis un moment, on voulait prendre Ringo. On l'aimait bien. On le connaissait depuis Hambourg. Il avait une personnalité sympa, était toujours de bonne humeur. Et il avait une voiture. Oui, c'est con à dire, mais ça nous impressionnait vraiment qu'il ait une voiture. On lui a demandé s'il voulait venir avec nous, et comme c'était mieux payé que son autre plan, il a dit oui. Aussi simple que ça. À quelques livres sterling près, il aurait sûrement refusé. Voilà, c'est comme ça qu'il est entré dans l'aventure, juste quelques semaines avant notre explosion.

Quant à Pete, il était comme un enfant avorté. On le virait juste avant l'accouchement. Il avait joué avec nous pendant trois ans, et on l'écartait quelques jours avant notre premier disque. Personne n'a osé le lui dire en face. J'ai honte de ça. Mais le rock, c'est un ramassis de salopards. On a envoyé Brian au casse-pipe. Il nous a dit que Pete avait reçu le truc en pleine gueule. Il était tellement sonné qu'il ne s'est pas battu pour conserver sa place. Ça lui faisait trop mal qu'on le jette comme ça, sans même prendre le temps de lui expliquer nos raisons. C'était à moi de parler. C'était mon groupe. Mais j'ai toujours été lâche, j'ai toujours fui les responsabilités. Et puis, c'était chacun sa merde. Je m'en veux un peu maintenant... Enfin, ce n'est même pas sûr : peut-être que je dis ça juste pour vous paraître un peu humain. Au fond de moi, je m'en fous complètement. Je me souviens seulement que j'étais mal, que je passais mon temps à le fuir. Pendant les derniers concerts, on savait tous qu'on allait le virer, mais je ne disais rien. Il m'a demandé : il y a un problème ? Et j'ai répondu : non, quel problème ? Mais bon, merde, c'était sa faute aussi. Il était distant, il était star, il ne voulait pas avoir la même coupe que nous. C'est sûr que, s'il avait su ce qu'on allait devenir, il aurait peut-être fait en sorte de mieux s'intégrer. Pour ne pas rater nos vies, on devrait les vivre à l'envers. Mais bon, ça servait à rien de chercher des raisons. On ne voulait pas de lui, et c'est tout. On s'est tous convaincus que Ringo était meilleur. Pourtant, George Martin n'a pas voulu de lui non plus sur notre premier disque. C'était vraiment humiliant. Il venait d'arriver, et on le remplaçait en studio par un autre musicien. Mais ça ne s'est passé qu'une fois. Il faisait partie du groupe désormais.

Les fans de Pete Best ont essayé de nous empêcher de jouer. Ringo a reçu des lettres de menace. George s'est carrément pris un poing dans la gueule. On s'est dit pendant un moment qu'on avait peut-être sous-estimé l'amour des gens pour Pete. Enfin, ça n'a pas duré. Au bout du compte, ça ne changeait rien. Le temps a passé et puis on l'a complètement oublié. Quelques années plus tard, Hunter Davies, le mec qui a écrit notre biographie officielle, un ramassis de conneries où l'on ne pouvait pas dire vraiment la vérité, nous a donné des nouvelles de Pete. Il était alors boulanger, et gagnait en une semaine ce qu'on gagnait en moins d'une seconde. Ça m'a fait ni chaud ni froid de le savoir. Je m'en foutais de sa descente aux Enfers. Et puis j'étais si mal quand j'ai appris tout ça. Je me sentais étouffé par ma célébrité, on ne pouvait rien faire normalement. J'étais accro à l'héroïne. Si ça se trouve, j'ai pensé sur le moment que la vie de boulanger devait être meilleure que la nôtre. Mais bon, je m'en foutais de savoir ce qu'il était devenu. Je m'en fous des cadavres sur notre chemin. On m'a demandé pourquoi on ne lui avait pas donné un coup de main après. Pourquoi on ne lui avait pas acheté une maison ? Mais c'est comme ça, ce n'est pas notre vie. Il fallait être dur pour réussir, et il faut toujours l'être. C'est chacun pour soi dans cette merde.

Après avoir été viré, il a tenté de monter d'autres groupes. Mais ça n'a pas vraiment marché. Pendant ce temps-là, on est devenus énormes. Tout le monde à Liverpool le connaissait comme le batteur des Beatles, alors il ne pouvait plus faire un pas sans qu'on lui chuchote son ratage sur son passage. Les gens avaient pitié. Il était le mec qui avait presque fait partie du mythe. Il était le plus grand cocu de la musique. Si j'y pense une seconde, je me dis vraiment que ça a dû le brûler tout ça. Je sais qu'il est resté un an chez sa mère. Un an sans bouger, vautré dans le canapé, devant la télévision. Et puis un jour, il a voulu en finir. Peut-être qu'il nous avait vus à la télévision ou dans la presse. C'était impossible de vivre sans tomber sur notre gueule quelque part. Alors il a voulu en finir. On m'a dit qu'il s'était raté deux fois. C'est peut-être ça son destin, de rater les choses. Par contre, il y a bien une chose qu'on ne peut pas lui retirer, à Best, c'est qu'il ne s'est pas répandu sur nous. Il n'a jamais balancé. On lui a proposé des millions, j'imagine, pour raconter toutes les conneries qu'il savait sur nous, sur l'époque Hambourg, car il était vraiment aux premières loges de nos dégueulasseries. Et ça, je dois dire que c'est très respectable[1]. Ça me change de tous ces connards qui font des livres sur moi, qui mythonnent trois cents pages sur notre relation alors que je les ai croisés deux minutes à tout casser. Tout le monde se permet de commenter ce qu'ils pensent de ce

---

1. Finalement, Pete Best écrivit un livre plus tard. Mais pas vraiment à charge. Juste pour établir sa vérité. En 1995, quand les Beatles ont sorti *Anthology*, on peut entendre Pete Best sur plusieurs morceaux. Une manière d'apaiser l'histoire, et de lui permettre aussi de toucher des royalties conséquentes.

que je pense, tout le monde a son avis sur la façon dont je pisse, si bien que même maintenant, quand je vous parle, je ne suis pas sûr d'être moi.

Onzième séance

Et voilà, nous sommes en plein cœur de l'été 62. Le groupe est prêt à enregistrer. On ne le sait pas encore, mais on va tout dynamiter. Notre producteur va contribuer activement à la révolution sonore qui s'annonce. C'est George Martin. La première fois qu'on l'a vu, on a tous été fascinés... par son style vestimentaire. Incroyablement élégant. Et il parlait un anglais parfait, ça nous changeait. Quand il s'exprimait, on avait l'impression d'avoir mis la BBC. Cet homme si loin de nous a été le premier à nous comprendre. Le seul à vouloir de nous. Il a pensé que ce n'était pas un grand risque, que ça valait le coup de tenter. Il ne nous regardait pas comme s'il avait dégotté des perles. Il ne pouvait pas imaginer qu'on allait devenir de si grands génies, de si grands compositeurs. C'est lui qui a dit ça. Il a dit qu'il aimait notre charme, notre humour, notre originalité, mais que rien ne laissait présager ce que nous allions être. Il a raison quand il parle du charme. On était drôles. Il y avait une alchimie entre nous. Ringo s'était parfaitement intégré. On formait un homme à quatre têtes, et c'était notre force. On s'aidait, on se protégeait, on s'adorait.

Je voudrais dire tout de suite quelque chose sur George Martin. Avec sa grande connaissance du classique, il nous a aidés à assouvir notre folie créatrice. On a été les premiers à utiliser ainsi des cordes dans le rock. Mais bon, on lui expliquait nos intentions, et il exécutait. Je ne cherche pas à le rabaisser en disant ça. C'est juste que ça me gonfle quand on parle de lui en disant qu'il est le cinquième Beatle. Il n'y a pas de cinquième Beatle. Trop de connards veulent une part du gâteau. Mais, sans nous, il n'y a rien. Sans nous, il n'y a pas d'histoire. Il n'y a pas une note, pas une mélodie. Bon, je ne devrais pas dire ça. Il est sûrement responsable d'une virgule de notre génie. Et c'est déjà immense.

On lui a fait écouter toutes nos compositions, puis on s'est mis d'accord sur *Love me do*. Quand le disque est sorti, on passait des nuits blanches à attendre ses diffusions à la radio. C'est là que Brian a été fort. Je ne sais plus très bien ce qu'il a fait, mais il a magouillé. Pour passer à la BBC, il fallait être dans les vingt premiers du classement. Il a acheté en précommande plein de nos disques pour nous faire monter artificiellement, et c'est comme ça qu'on a surgi de la masse. Ce n'était pas énorme, mais on passait maintenant sur le national. On a fait un deuxième disque qui a très bien marché. Alors on nous a proposé de faire un album. On l'a enregistré en une journée. Tout paraissait étrangement simple. Comme quelque chose qui se libérait subitement.

À cette époque, on jouait pratiquement tous les soirs. On est repartis en Allemagne, on a fait des tournées en Ecosse et dans tout le Royaume-Uni. On sentait que ça prenait un peu partout. Et surtout : on découvrait l'hystérie des filles. C'était absolument dingue. Cynthia, qui m'avait connu inconnu, était effarée de toutes les entendre crier mon nom. Elle devait me partager. Et puis il fallait qu'on soit discrets. Brian voulait carrément qu'elle reste cachée. Personne ne devait apprendre que j'étais en couple. Cela aurait été dangereux pour notre carrière. Quand j'y pense, je me dis que mes deux femmes ont vécu l'opposé absolu. Cynthia ne devait pas exister ; et maintenant, je n'existe plus sans Yoko. Quelque part, c'est très symbolique : j'ai tout fait pour saccager ce que j'avais fait dans un premier temps.

Pour l'instant, j'étais un bon petit soldat. Mais un soldat qui allait se prendre un coup de massue sur la tête. Cynthia m'a annoncé qu'elle était enceinte. Elle aurait voulu que je fasse des bonds de bonheur, mais c'était impossible. Je ne pouvais plus parler. C'était la pire chose qui pouvait m'arriver, voilà ce que j'ai pensé. Tout allait s'arrêter. Ma carrière était foutue. J'allais devoir l'épouser. Ça allait se savoir. J'imaginais les titres dans la presse :

« Lennon marié ! » « Lennon père ! » Qui pouvait acheter les disques d'un mec marié avec un gosse ? Oui, je sais... C'est un peu con de se dire tout ça maintenant, mais à l'époque j'avais le sentiment que le ciel me tombait sur la tête. On commençait à marcher fort, et il y avait un risque réel de décevoir les fans avec cette nouvelle. J'ai peut-être pensé tout ça à cause de Brian, car il en rajoutait des tonnes dans le drame. Si ça se trouve, il ne pensait pas vraiment que c'était risqué ; c'était sa façon inconsciente de me faire payer ma vie sans lui.

Je suis allé voir Mimi pour tout lui raconter. J'aurais voulu un soutien de sa part. Mais c'était tout ce qu'elle détestait, qu'on froisse ainsi les convenances. Cynthia, cette fille qu'elle n'aimait pas, enceinte avant le mariage. Alors, elle a été froide, vraiment froide. Elle est si chiante parfois. Elle a décidé de ne pas venir au mariage. Et, du coup, personne de ma famille ne s'est pointé. C'est devenu un mariage fantôme. Personne n'était au courant. Même Ringo ne l'a pas su. Il était encore trop nouveau dans le groupe pour être mis dans la confidence. Il a vraiment fait la gueule quand il l'a appris plus tard. Mais il aurait plutôt dû me remercier de l'avoir épargné. Il a évité la cérémonie la plus sinistre de tous les temps. Cynthia a comparé la journée à un enterrement. Et c'était exactement ça. Je l'ai vécu comme une mort, ce mariage. J'assumais l'enfant, mais je ne le voulais pas. J'étais jeune, le monde criait mon nom, et j'avais peur de mourir en étant ainsi rattrapé par la vie normale. Hors de question d'accepter ça. J'avais fait mon boulot en me mariant, mais c'était tout.

Quand Julian est né, je ne suis pas allé le voir tout de suite. C'était vraiment pas sympa de laisser Cynthia comme ça pendant des jours. Mais au moins j'annonçais la couleur. Je n'ai jamais fait semblant. Quand je me suis enfin décidé à aller à la maternité, ma femme ne me faisait même pas la gueule. Elle m'a demandé : tu veux le prendre dans tes bras ? J'ai répondu non. Alors elle m'a dit : regarde, regarde comme il te fait un sourire. Alors j'ai tourné la tête. J'étais passé dire bonjour, mais j'avais prévu autre chose. J'avais décidé de partir en vacances avec Brian. J'ai annoncé ça à Cynthia, et elle est devenue toute pâle. Je ne sais même plus si elle s'est énervée. Elle a peut-être compris qu'il n'y avait rien à faire, rien à dire. Elle devait penser que j'étais le plus grand des salauds de me barrer ainsi. Je lui répétais en boucle à quel point j'étais crevé, et je ne lui posais même pas une question pour savoir comment s'était passé l'accouchement, même pas une question pour savoir si elle était fatiguée ou non. Mon fils arrivait au monde, et je voulais crier : moi, moi, moi.

J'avais envie d'être avec Brian. J'étais bien avec lui. Nos vacances ont fait couler beaucoup d'encre. Tout le monde veut toujours savoir si j'ai baisé avec lui pendant cette semaine. Je ne sais pas. Il y avait de la tendresse c'est sûr, j'avais une part d'amour. Mais non, ce n'était pas physique. Ça ne pouvait pas l'être pour moi. On était là, au bord de la plage, en train de mater les mecs. Et j'ai adoré ça. J'ai adoré jouer aux homos. Je voulais tester mes limites, savoir où j'étais. Comme j'ai toujours fait. Ma vie, c'est une succession de tentatives pour savoir qui je suis. Car j'ai toujours été perdu. L'homosexualité, l'Inde, la drogue, Yoko, tout ça c'est pareil. Ce sont des concepts auxquels je me suis accroché comme un naufragé. Si j'avais pensé qu'aimer les hommes pouvait me sauver, j'y serais allé en courant. Au bout du compte, j'ai trouvé un équilibre avec Yoko, la femme la plus homme du monde.

À notre retour, ça s'est très mal passé. Pendant une soirée, Bob Wooler, un disc-jockey que je connaissais bien, a commencé à me faire chier. À me répéter que tout le monde disait que je me tapais Epstein. Je ne voulais pas réagir, je voulais m'en foutre. Mais, subitement, j'ai explosé. Je suis entré dans la rage la plus folle de ma vie. Je devais forcément avoir peur à mourir de l'homosexuel qui sommeillait en moi pour péter un plomb comme ça. Je l'ai cogné avec un bâton, de toutes mes forces. Si on ne s'était pas jeté sur moi pour m'arrêter, franchement, je crois bien que je l'aurais tué. Il était par terre, en sang. Complètement sonné. Les gens me poussaient, me disaient que j'étais malade. Je continuais à regarder Wooler qui gémissait. Et c'est cette vision qui a tout changé pour moi. Ça a été comme un déclic. C'est la dernière fois de ma vie que j'ai été si violent. J'avais déjà peut-être tué quelqu'un à Hambourg, et voilà que ça continuait. J'étais capable de tabasser à mort le moindre con qui me faisait chier. Je suis parti hagard, en me disant que j'avais fait une immense connerie. Le mec m'a attaqué en justice pour coups et blessures, et la presse a parlé de cette affaire. Cette fois, ma folie était connue de tous.

Quand je pense qu'à ce moment-là tout le monde cherchait à nous opposer aux Stones. Comme quoi on était les gentils et eux les méchants. Quelle connerie. D'abord on était potes, on leur avait même écrit des chansons. Et puis j'étais cent fois plus violent que Mick. C'est en changeant notre style qu'on leur a offert un boulevard. Ils avaient les cheveux longs, juraient sur scène. Et nous, on avait pris le créneau poli et propre. Mais ils ont passé leur temps à nous copier. Quand on a sorti notre deuxième album, on a été les premiers à faire la gueule sur une pochette de disque. À être dans la pénombre, sans sourire. C'était vraiment osé de tenter ça. Et ils ont fait pareil. Et puis quand on a fait *Sgt. Pepper*, ils ont sorti *Their satanic majesties request*. C'était quasiment le même concept. Je pourrais citer cinquante exemples comme ça. Les seuls avec qui on a vraiment rivalisé, ce sont les Beach Boys. Je me souviens qu'on avait été fous d'entendre *Pet sounds*. C'était vraiment un chef-d'œuvre. On a enregistré *Sgt. Pepper* en pensant qu'on devait les dépasser. Ce qu'on a fait d'ailleurs.

Ce qu'on faisait toujours : expliquer au monde qu'on était les meilleurs. Brian Wilson[1], quand il a écouté ça, ça l'a flingué.

Finalement l'affaire Wooler n'a pas fait tant de bruit que ça. On a réussi à s'arranger, en le payant. Et ça s'est calmé. Ça n'a pas écorné notre belle image de gentils. On était respectables. On avait tous les honneurs. On a été invités au gala de la reine, le Royal Performance. Toute l'Angleterre nous a écoutés ce jour-là. Avant de jouer, je me suis permis une petite blague. J'ai dit que les personnes aux places les moins chères devaient taper des mains, et les premiers rangs n'avaient qu'à faire bouger leurs bijoux. À l'époque, c'était très insolent. Mais c'est passé comme une lettre à la poste. Car j'ai fait un petit sourire à la con. On nous pardonnait tout, on nous trouvait drôles et sympas. On était vraiment heureux de tout ce qui nous arrivait, on trouvait ça fabuleux, on était des stars, tout le monde nous reconnaissait, tout le monde nous aimait. Et je me disais que j'allais peut-être me trouver quelque part. Que tout ce cirque qui prenait place autour de nous allait être la clé de mon épanouissement. Ce qui était ridicule. Je mettais dans chaque jour un peu plus de l'oubli de moi. J'enfouissais mon mal-être.

J'oubliais que j'avais une femme et un enfant. Cynthia s'était installée chez Mimi. C'était

---

1. Brian Wilson, le leader des Beach Boys, est resté prostré deux ans après avoir écouté l'album *Sgt. Pepper*.

l'entente cordiale. Je ne prenais jamais de leurs nouvelles. Quand je passais, ma femme ne me racontait rien de négatif. Elle ne voulait jamais me culpabiliser. Mimi, par contre, ne se gênait pas pour me faire le récit de l'enfer vécu par Cynthia. Et, par conséquent, aussi un peu du sien. Julian ne dormait presque jamais. Elle devait sortir la nuit pour tenter de le calmer. J'écoutais ça et je m'en foutais... Mais bon, faut que j'arrête de parler de moi en soulignant toutes mes saloperies. Car c'était au début ça. Quand le cyclone Beatles a démarré. Après j'ai essayé de faire des efforts, de rendre plus agréable la vie de Cynthia en lui proposant de m'accompagner sur certaines tournées. Ce n'était peut-être pas facile d'être avec moi, mais il y avait quand même de belles compensations. J'ai été un bon mari, pendant les respirations de ma folie. Je me souviens de certains jours où je me réveillais étrangement avec du soleil dans les idées, et je me disais : je dois penser aux autres.

C'est là que la célébrité a commencé. La vraie célébrité. Pas la petite. Pas celle des gens qui se retournent dans la rue et qui demandent des autographes. Là, je parle d'une célébrité atomique. Ce qu'ils ont appelé la Beatlemania. Ça a été progressif. On avait l'habitude d'être regardés, mais jamais on aurait pu penser que ça irait jusque-là. Plus rien dans nos vies ne serait pareil. On ne ferait plus jamais marche arrière dans l'anonymat. Au tout départ, j'ai trouvé ça très bizarre. Surtout dans les lieux publics.

Quelques mois auparavant, dès que j'entrais dans un restaurant, on me dévisageait. J'avais l'air d'un voyou. On se demandait ce que je foutais là. Et maintenant, tout le monde se poussait, tout le monde me souriait, tout le monde me donnait du bonjour et du bonsoir. On m'installait à la meilleure table. Le chef venait me voir pour me demander ce qui me ferait plaisir. Je pouvais dire n'importe quoi, le premier truc qui me passait par la tête, des asperges avec une sauce à la framboise par exemple, eh bien, il me disait pas de problème, monsieur Lennon. Il n'y avait jamais le moindre souci dès que je voulais quelque chose. On se pliait à mes désirs. Et puis je changeais d'avis, alors je ne touchais pas aux asperges. Et là, c'était comme un incident diplomatique. Le chef faisait une dépression car je n'avais pas goûté à son plat. J'étais le client le plus important de sa carrière. Avec moi, tout prenait des proportions grotesques. À mon avis, il devait répéter toute la nuit à sa femme : « Tu te rends compte, il a dit qu'il n'avait pas faim finalement. » Le lendemain matin, il était capable de me faire livrer au studio des asperges à la framboise. Avec un petit mot du genre : « En espérant qu'aujourd'hui vous aurez faim. » Et il aurait signé : « Votre plus grand fan. » Ils signent tous ça, alors je m'y perds moi. Faudrait qu'ils se mettent d'accord entre eux. Enfin, vous voyez bien que c'est impossible de ne pas devenir taré dans ces conditions.

Le pire, c'est que le changement avait lieu aussi dans nos familles. Ringo m'a raconté une histoire comme quoi il avait renversé une tasse de thé chez ses parents, et alors tout le monde s'était précipité pour nettoyer. Avant, ils lui auraient gueulé dessus. Il aurait peut-être même pris une baffe. Mais là, ce n'était plus possible. Il en a éprouvé une grande tristesse. Au sein de son foyer, plus rien ne pouvait être comme avant. Nous n'étions plus des hommes. Nous étions des Beatles. Ce qu'on a vécu ensemble allait forcément nous lier pour toujours. Qui pourrait me comprendre à part les trois autres ? Qui d'autre allait vivre de l'intérieur la Beatlemania ? Nous étions comme les quatre passagers d'une mission spatiale, les seuls hommes à avoir marché sur la lune de la notoriété.

Je parle de l'attitude de la famille de Ringo, car c'est une anecdote qui me revient comme ça, mais il faut imaginer dans quoi on a plongé nos proches. C'était une folie absolue. Les parents de Ringo étaient très heureux au début, et puis ça a tourné au cauchemar. Toute la journée, des filles criaient devant leur maison pour avoir un bout de chaussette de leur fils. Sa mère a donné tout ce qu'elle pouvait. Et puis, ils ont été obligés de déménager. Dans une belle maison, certes. Mais dans un quartier où ils ne connaissaient personne. Ça a été pareil pour toutes les familles. La mère de George mettait un point d'honneur à répondre à tout le courrier qu'elle recevait, des sacs postaux entiers. C'était devenu un travail à temps plein : gérer le fan-club de son fils. La vie de Mimi aussi a complètement basculé. Elle qui était une princesse de la discrétion se retrouvait maintenant avec des bus devant sa maison. Des milliers de fans la suppliaient d'autoriser une visite. Mimi m'a raconté qu'une fille a pleuré juste en voyant le canapé où j'aimais m'asseoir. Elle essayait d'être gentille, elle donnait des petits trucs qui m'appartenaient, mais c'est devenu l'enfer. Elles s'introduisaient la nuit, campaient devant chez nous en espérant que je me pointe. Mimi s'est accrochée longtemps à sa maison, puis elle s'est résolue à déménager. Je lui ai acheté une résidence près de la mer. Elle aussi s'est retrouvée seule. C'est ainsi. L'amour fou des gens a créé de nombreuses solitudes.

Et nous étions seuls aussi. Seuls avec des millions de personnes autour de nous. Comme dans une bulle. Nous étions numéro un partout dans le monde. On assistait à notre vague qui déferlait partout. Et il était temps d'aller voir ça de plus près. Il était temps de commencer les tournées mondiales.

Douzième séance

Je suis au calme maintenant, et j'essaye de fermer les yeux pour écouter dans ma tête le bruit des années 60. Est-ce que c'est possible de raconter ça ? Chaque minute qu'on vivait possédait la densité d'un siècle. Si je me concentre, alors j'arrive à effleurer mes émotions passées. Je peux toucher du doigt le moment où nous sommes montés dans l'avion. Devant, en première classe. Il y avait toutes ces hôtesses qui nous souriaient, et on pouvait sûrement les baiser. On était quatre British élevés aux *beans*, et on nous gavait de champagne et de langouste. Brian nous disait de ne pas trop boire, car on avait une conférence de presse à l'arrivée. On s'en foutait. Il savait qu'on ferait le boulot de toute façon. On était soudés, et on restait concentrés pour atteindre le sommet. Pour cela, on devait avant tout paraître sympas. J'ai passé ces années avec le sourire fixé à la mâchoire. Quand on nous demandait ce qu'on pensait de la guerre au Viêtnam, on faisait une blague, on passait à autre chose. On était des génies de la pirouette.

Vous n'avez jamais mis les pieds dans un pays, et des milliers de personnes sont là à vous attendre. Dans le froid, dans la nuit, peu importe. Les aéroports étaient le lieu des premières scènes d'hystérie. Parfois, j'ai pensé que ce n'était pas possible. Ce que je voyais ne pouvait être qu'une distorsion de mes iris. Le vêtement de mes hallucinations. Mais non, tout ça était bien réel. Aussi réel que je suis là à vous parler. En arrivant à New York, j'ai levé le bras pour saluer la foule. J'étais un chef d'Etat, j'étais la reine d'Angleterre devant ses troupes. On nous a précipités dans une salle. Avec des centaines de journalistes. Des milliers peut-être, je ne sais pas. Il aurait pu y avoir le début de la Troisième Guerre mondiale ce soir-là que personne n'en aurait parlé. Tous les Américains voulaient nous découvrir. Ils voulaient savoir comment on parlait, comment on bougeait. Nous n'avions envahi pour l'instant que les oreilles des États-Unis. Ils n'allaient pas être déçus. On a été grandioses. On était vraiment drôles en conférence. Notre humour a joué dans la Beatlemania. Je ne sais pas comment on faisait, mais il n'y avait jamais de blanc. À chaque question, l'un de nous trouvait quelque chose à dire, une blague ou je ne sais quoi. Je me souviens qu'on nous avait demandé si on aimait Beethoven, et Ringo avait répondu : « Oui, surtout ses poèmes. »

Après la conférence, on a quitté l'aéroport en Cadillac. Pour aller au Plaza. Sur la route, les filles continuaient de crier. Une fois à l'hôtel, dans notre chambre, on a trouvé ça dingue de voir autant de chaînes à la télévision. On est restés au moins une heure, fascinés, à regarder tous les programmes possibles. Pour nous, c'était là le symbole ultime de la démesure. Mais il fallait rester concentrés. On devait affronter un défi majeur : l'*Ed Sullivan Show*. Cette émission était La Mecque. Fallait pas qu'on se plante. Et ça a été énorme. En quinze minutes, l'Amérique entière nous connaissait. Les parents inquiets de l'hystérie de leurs enfants ont été rassurés de nous voir. Surtout le visage poupin de Paul. Je suis certain que notre succès vient de là : nous étions comme une folie maîtrisée. Une révolution douce. Nous étions à la fois subversifs et respectueux. C'était comme s'introduire dans une maison, baiser la fille au premier étage, mais avant de faire tout ça, on aurait pris soin de bien s'essuyer les pieds sur le paillasson.

On était excités par toutes ces filles. On était devenus des prédateurs. Elles n'existaient plus individuellement. Elles étaient des corps, des offrandes pour les dieux que nous étions. Elles étaient partout : dans les placards, dans les rideaux, dans nos vestes. On baisait tout le temps. Les flics nous fournissaient en groupies ou en putes. Il y avait un tel décalage entre le show et les coulisses... C'était l'orgie permanente. Tout le monde se gavait. Je pouvais commencer à coucher avec une fille et finir avec une autre. J'avais des langues en permanence sur moi. Toute cette folie, je l'ai balancée plus tard à un journaliste. J'ai regretté d'avoir fait ça, car j'ai créé la merde. À l'époque, on était tous en couple. Moi le premier. J'étais le mec le plus baisable du monde, alors bien sûr que je devais en profiter. Et puis franchement, c'était techniquement impossible d'être fidèle. J'avais tout le temps une fille à genoux devant moi. Pourtant, je me sentais toujours un peu coupable. J'avais été élevé avec des principes, et je les saccageais. Mais quel homme peut refuser toutes les femmes ?

C'est sûrement dans ces orgies qu'est né en moi le fantasme absolu d'une femme qui anéantirait de sa puissance toutes les autres femmes. Une femme qui dominerait mes désirs par un amour suprême. Une femme qui deviendrait la seule et l'unique. J'ai vu des filles drôles, piquantes, étonnantes, mais elles se mélangeaient toutes dans une multitude qui prenait l'allure du rien. Avec cette consommation excessive du néant, j'allais accumuler la frustration nécessaire qui ferait de l'apparition de Yoko un ravage.

Ça n'arrêtait jamais. On ne dormait presque pas. On ne bouffait que des saloperies. J'étais mal dans ma peau. J'avais grossi. Une fois passée l'excitation de la découverte, on a commencé à trouver très étouffant ce barnum. Il fallait imaginer notre vie. Dès qu'on était quelque part, tout le monde voulait nous toucher. Je me souviens d'une soirée où quelqu'un a même coupé une mèche de cheveux de Ringo.

On nous courait après tout le temps. Avec des cris en permanence. Quand on pensait être enfin à l'abri dans l'hôtel, ça continuait de plus belle. Fallait signer des autographes pour le personnel. Ou faire des photos avec les flics qui s'occupaient de notre protection. Et si jamais il m'arrivait de faire la gueule ou d'envoyer chier quelqu'un, je savais qu'il allait dire que j'étais un gros con, sans même penser que j'avais le droit de craquer un instant. Je n'avais jamais le droit de me reposer d'être moi.

Dans chaque ville, il y avait des réceptions en notre honneur. On disait à Brian qu'on ne voulait pas y aller, mais c'était compliqué de refuser une invitation dans une ambassade ou avec un maire. Tout le monde nous parlait en même temps, essayait de grappiller un centième de notre attention. J'avais toujours des mecs pour me tenir la jambe en me disant : « Vous vous souvenez, j'étais là quand vous avez mangé un beignet à la tomate en 63. » Quand je prenais une cigarette, au moins cinquante briquets surgissaient d'un coup. Je devais remercier chacun pour tant de sollicitude. Et pourtant je sentais une agressivité latente, une sorte de jalousie bouffie ou déformée, quelque chose de violent qui disait à peu près : vous allez payer tout ça. On vous aime bien, mais après on va vous écraser. J'avais peur. J'avais si peur par moments. Souvent, après les concerts, on s'enfermait tous les quatre dans les toilettes. Et on respirait. On retrouvait notre énergie à être ensemble. Mais les gens s'inquiétaient. Ils s'inquiétaient tout le temps pour nous. Nous étions les enfants les plus assistés de la planète. Il suffisait que je toussote pour que toutes les pharmacies de la ville ouvrent sur-le-champ.

Dans les hôtels, on avait en général un étage sécurisé. Notre staff ou les flics laissaient passer quelques jolies filles, mais à part ça, c'était très compliqué de monter. Seuls les VIP pouvaient y accéder. Et là aussi, c'était le défilé. Toutes les vedettes venaient nous voir. Je me souviens d'un soir où les Supremes se sont pointées. Et j'avais rien à leur dire. C'était comme un truc arrangé par les parents entre deux jeunes qui ne peuvent pas se blairer, ou qui sont timides. J'étais claqué, je m'en foutais des Supremes, avec leur choucroute sur la tête. On a parlé un peu musique, mais bon, c'était gênant à la fin de toujours devoir parler. Et puis un soir, Dylan est passé. Là, c'était quelque chose. J'écoutais depuis quelques mois sa musique, et je l'admirais profondément. J'avais même écrit une chanson dans son style. Il m'a beaucoup influencé, surtout dans l'écriture des paroles. Il m'a poussé à être plus personnel, plus poétique, à élargir mon champ de vision.

Ecrire a toujours été la chose la plus importante pour moi. J'avais publié un livre dans lequel on trouvait mes pensées fantaisistes et mon goût pour les petites histoires tordues. Il avait eu du succès, et j'avais même été invité dans le cercle le plus prestigieux de la littérature anglaise. Ce jour-là, tous les littérateurs avaient attendu un long discours, une saillie originale, des remerciements lyriques, ou je ne sais pas. Ils avaient tous les yeux braqués sur moi, et je ne savais que dire. Alors, j'ai simplement bafouillé un merci à peine audible. Tout le monde y a vu une provocation, de l'arrogance, alors que j'étais juste gêné d'être là. Il y a toujours eu un si grand décalage entre ce que je suis et ce que les gens imaginent de moi. Ça m'intimidait vraiment de me retrouver là. Et puis, après tout, il n'y avait rien à dire. Les textes ou les paroles de chansons, c'est de l'ordre du ressenti. C'est la sphère émotionnelle. On aime ou on n'aime pas, et c'est tout. Je n'avais rien de plus à exprimer, c'était aussi simple que ça.

Pour en revenir à Dylan, c'est lui qui nous a filé notre premier joint. À Hambourg, on avait pris des amphétamines pour tenir, mais on n'avait jamais vraiment fumé. On a plongé dans l'univers du gloussement. On ricanait tous et ça nous faisait un bien fou. Il fallait qu'on trouve des échappatoires pour supporter les moments d'angoisse. Et nous en avions. Surtout quand il s'agissait d'accéder à un stade. Les fans encerclaient toute la journée le lieu du concert, en espérant grappiller une seconde supplémentaire de nous. On nous cachait parfois dans des fourgonnettes de teinturerie ou je ne sais quoi. C'était toujours un cinéma pas possible pour atteindre la scène. Et tout ça pour faire quoi ? Quand on jouait, on ne s'entendait plus. Ringo nous regardait pour voir où on en était. On pouvait s'arrêter de jouer, c'était pareil. On ne pouvait plus faire de la musique comme avant. On ne pouvait plus être drôles et échanger avec le public. On était comme des pantins que les gens venaient voir et non pas entendre.

Partout dans le monde, c'était la même chose. Au Shea Stadium de New York on a joué devant cinquante-cinq mille personnes, c'était sans précédent. En Nouvelle-Zélande, je me souviens d'un accueil démentiel. Tout le pays était là, ce n'était pas possible autrement. On a été bloqués dans notre limousine pendant une seconde, et les fans en ont profité pour barrer la route et monter sur la voiture. On a eu vraiment peur. J'ai cru qu'on allait mourir écrasés comme des putains de sardines. Notre retour triomphal à Liverpool a aussi été particulièrement fou. C'était dingue de revenir là, de voir sur le bord de la route des gens qu'on avait connus, et sûrement des filles qui nous avaient foutu des râteaux. On s'est retrouvés au balcon de la mairie, acclamés par une population fière. Dans la foule, il devait y avoir tous ces profs qui n'avaient pas cru en moi. Qui ne rêve pas d'une telle vengeance ? Mais je ne savourais pas vraiment. J'étais mal à l'aise d'être ainsi projeté dans la posture de l'adulé. Alors, je me suis mis à imiter Hitler. Ça m'a pris comme ça. Seuls les autres Beatles comprenaient pourquoi je levais le bras. C'était mon type d'humour. Je me détendais par le cynisme. Mais il y avait de quoi devenir fou.

Faudrait aussi que je vous raconte toutes les visions qui nous ont hantés pendant ces années. Je ne sais pas comment c'est arrivé. Au début, les personnes handicapées étaient placées près de la scène, sûrement par mesure de sécurité. Puis, on a commencé à entendre que les Beatles avaient le pouvoir de guérir. Il y a eu alors de plus en plus d'éclopés sur notre chemin, dans les tunnels nous menant sur la scène, tout autour des loges. Il y avait même des lits dans le couloir, des tentes à oxygène. On aurait pu croire que les hôpitaux de chaque ville faisaient la tournée avec nous. On voyageait avec les amputés et les aveugles. Des mères fiévreuses pleuraient en disant : « Touchez mon fils, touchez mon fils, s'il vous plaît... » Elles reposaient leur ultime et pathétique espoir sur nous. Le monde de la souffrance était là : juste en dessous du rêve.

C'est peut-être pour ça que j'ai dit qu'on était plus populaires que Jésus. J'ai prononcé cette phrase lors d'une longue interview avec une journaliste anglaise, Maureen Cleave. Je m'entendais bien avec elle. On avait parlé de beaucoup de choses, et notamment du déclin du christianisme. C'était un bel entretien qui me laissait, pour une fois, le temps d'aller au fond des choses. Il n'a fait aucune vague, jusqu'au moment où quelqu'un l'a ressorti aux États-Unis. La phrase extraite de son contexte a fait boule de neige, et c'est devenu une affaire mondiale. Intérieurement, je me suis dit que si cette phrase faisait autant d'effet, c'était qu'elle reposait sur le socle d'une certaine vérité. Il fallait vivre ma vie depuis trois ans pour savoir que j'avais raison. Les gens nous adulaient, et il n'était plus question de musique. On était une religion. Je le pense toujours. Je me suis mal exprimé peut-être, mais merde, c'était tellement évident.

L'affaire a pris des proportions inouïes. Aux États-Unis, surtout dans le Sud, les gens se sont mis à brûler nos disques. Le Ku Klux Klan a annoncé qu'il allait empêcher nos concerts par tous les moyens. Et j'ai commencé à avoir vraiment peur. Je ne voulais plus y aller. Je voulais qu'on annule la tournée. C'était le pays des assassinats de Kennedy et de Luther King. Je pensais vraiment que je pourrais me prendre une balle. On a finalement décidé d'honorer notre contrat. Je me suis excusé publiquement. Je n'avais pas d'autre choix pour pacifier les choses. Mais j'avais honte de devoir me rabaisser ainsi. Plus jamais je ne ferais la moindre concession concernant ma liberté de pensée. J'ai joué tous les concerts qui ont suivi avec une boule dans l'estomac. La peur me faisait accélérer le rythme des morceaux. Un soir, on a entendu un bruit qui ressemblait à une détonation. Aussitôt, les trois autres Beatles se sont tournés de mon côté. La cible ne pouvait être que moi.

Au fond, je suis peut-être le Christ. La mort par balles est la crucifixion moderne. J'aurais pu mourir sur scène. J'aurais pu mourir comme meurent les messagers de la Paix. Regardez ma vie maintenant : je suis chez moi, je médite et je fais du pain. Est-ce une folie de se prendre pour Jésus ? Je dois bien avouer qu'à un moment, j'ai douté. C'était vers la fin des Beatles. J'étais défoncé, malheureux. En pleine nuit, j'avais réveillé tout le groupe. Il fallait qu'on se voie le plus vite possible. Il fallait que je partage avec eux l'illumination de ma révélation. Ils se sont pointés le matin au studio. Ils étaient épuisés, leurs yeux étaient encore dans la nuit. Mais j'avais bien insisté sur le fait que ça ne pouvait attendre. Ils ont alors gentiment écouté mon annonce : je suis le Christ. À cette époque, il ne fallait pas me contrarier. Ils ont dit que c'était super. Qu'ils étaient heureux de connaître le Christ. Et chacun est reparti chez soi. Ils n'y ont pas cru. Alors que moi j'y croyais. Et il y a toujours une part de moi qui le croit. Ne me dites pas que je suis fou. Il faut forcément un peu de divinité dans le sang pour vivre une vie comme la mienne. Jusqu'où me mènera t-elle ? Où serons-nous plus tard avec Yoko, Belle du Seigneur que je suis, où serons-nous ?

Cette affaire a vraiment plombé l'ambiance de la dernière tournée. Ça a accentué ce qu'on ressentait tous profondément. On n'en pouvait plus. On avait fait plus de mille concerts en moins de quatre ans. On était cassés. Et l'hystérie nous tapait sur les nerfs. C'était invivable.

Les gens ont dit qu'on avait arrêté car les tickets se vendaient moins bien. Quelle connerie. On a arrêté parce qu'on en avait ras le bol. On était claqués de prendre l'avion. Sans compter un autre détail : la peur. La peur des balles, la peur des fous, et maintenant la peur de l'avenir. Car une voyante a dit que notre avion allait s'écraser. C'était la même qui avait prévu l'assassinat de Kennedy. Alors il y avait de quoi être angoissé.

Paul était le seul à vouloir continuer. Mais après l'étape à Manille, il a rallié l'avis collectif. Ça a sûrement été la pire expérience de ma vie. Je ne me rappelle plus les détails exactement, mais ce qui s'est passé là-bas a été atroce. La femme du dictateur Marcos avait organisé une grande réception en notre honneur. Brian a pensé qu'on n'avait pas envie d'y aller et ne nous a pas prévenus. Il n'a pas mesuré le drame que ça allait provoquer. Elle nous a attendus, avec tous les enfants invités. Humiliée par notre absence, elle a fait une déclaration disant qu'on était les ennemis du peuple ou quelque chose comme ça. Ils sont alors tous devenus tarés. Les gens nous jetaient des pierres. On ne savait plus comment repartir. Personne ne voulait nous emmener à l'aéroport. On a dû porter nos bagages sous la chaleur suffocante. J'ai pensé qu'on était foutus. Qu'ils allaient nous tuer.

Le calvaire a duré des heures, mais finalement on a pu monter dans l'avion. Ils ont tabassé notre assistant juste avant qu'il embarque. Et ils ont gardé Brian en otage. Ils voulaient la recette du concert. Ils nous ont rackettés, les enfoirés. Tant que je serai vivant, je ne prendrai plus un avion qui survole ce pays de tarés. Alors voilà, cette étape a été la goutte d'eau qui a fait déborder notre océan. Si ça se trouve, on aurait encore continué à tourner pendant des siècles. On était de bons élèves. On écoutait ce qu'on nous disait, et on nous disait de continuer à faire des concerts. On nous poussait à amasser du fric tant que ça marchait. Faut bien imaginer qu'on ne savait pas à ce moment-là qu'on serait des génies de studio. Ça nous foutait sûrement la frousse d'arrêter les tournées. Et puis, on ne savait pas comment était la vie sans ça. Je veux dire, on n'avait pratiquement pas levé le pied depuis dix ans. Je ne savais plus ce que c'était de passer des mois au même endroit, de vivre sans une valise sous mes yeux. Mais le concert des Philippines ne nous laissait plus le choix. Voilà comment on a décidé de tout arrêter. Les Beatles ne feraient plus jamais de concert. Je ne savais pas encore que ce serait la meilleure décision de ma vie. Je ne savais rien à ce moment-là. Notre soulagement n'altérait en rien notre angoisse : qu'allions-nous devenir ?

Treizième séance

Pendant des années, j'ai été comme un voyageur de mes jours. On avait bossé comme des chiens, on avait donné des milliers de concerts, et, entre les tournées, on avait toujours quelque chose à faire. On enregistrait un disque, ou alors on faisait un film. C'était la mode, c'était comme Elvis. Les musiciens devaient être des personnages. Ce que nous étions. Je ne sais pas ce que je pense de ces films maintenant. Je dois avoir une certaine tendresse pour le premier, et me dire que les autres sont de vraies merdes. Les films ont servi à accentuer l'image de chacun. Paul était le beau romantique, George le contemplatif secret et un peu timide, Ringo le meilleur ami toujours de bonne humeur, et moi j'étais l'intello sarcastique. Bien sûr, c'était la version de nous sans cigarettes, sans alcool et sans sexe. Les quatre garçons dans le vent étaient des Playmobil. Au fond de moi, ça me gonflait de plus en plus, ces clichés qu'on nous collait sur la tête. Surtout qu'ils étaient faux. En tout cas, c'était forcément plus nuancé que ça. Paul n'était pas le plus sympa, et je n'étais pas le plus acerbe. Paul pouvait être dur, méchant, caractériel. Et alors j'étais plus doux. Notre couple était une balançoire, et nos compositions trouvaient le point d'équilibre de nos deux incertitudes.

On prenait le cinéma comme une cour de récréation. Je me souviens d'un tournage où on fumait tout le temps. Ça se voyait qu'on était défoncés. On ne savait pas notre texte, on était juste là comme des cons à se marrer. Pendant les séances de réflexion avec les scénaristes, on se demandait : « Où est-ce qu'on veut aller ? » Si Paul voulait faire du ski, alors on s'excitait : « Faut que ça se passe à la montagne ! » Et comme Ringo râlait qu'il allait avoir froid, on se retrouvait finalement avec une histoire qui commençait à Gstaad et qui finissait dans les Caraïbes. Tout était possible. On pouvait dire n'importe quoi, et il y avait une cellule de crise qui tentait d'organiser ce n'importe quoi. C'était notre façon de faire du cinéma.

J'ai dû y prendre goût car, après l'arrêt des tournées, j'ai accepté la proposition de Dick Lester. Je suis parti m'emmerder de longues semaines en Espagne. Tout ça pour tourner un navet. Attendre entre les prises était tellement long. J'ai toujours aimé les choses de l'instinct. Les images sont comme des divas. Plus tard, avec Yoko, on a fait plein de films. Mais des films expérimentaux, basés sur les sensations. On pouvait filmer une mouche sur un corps humain. Enfin, je parle de l'immédiateté, mais ce tournage avait été très compliqué. Pas facile de commander une mouche. Surtout une mouche rebelle. Ça a duré des heures. Heureusement que les mouches ne sont pas syndiquées, sinon on aurait eu des emmerdes.

Pour en revenir au film que j'ai tourné en tant qu'acteur, ce n'était peut-être pas un navet. Disons un demi-navet. Les semaines de tournage ont finalement eu un intérêt, car mon personnage portait des lunettes. Ça a tout changé. J'ai décidé d'assumer enfin le fait d'en avoir besoin. Je me suis dit que j'avais été bien con de passer toutes ces années dans le flou, uniquement parce que je ne trouvais pas ça rock. J'entrais dans une nouvelle ère de ma vie : celle où j'allais revendiquer qui je suis.

Je mettais des lunettes, je tentais de voir le monde, mais la drogue faisait faire demi-tour à mes visions. J'avais une vue sur la vie intérieure. Le monde de mon esprit. Mes compositions allaient ainsi avancer vers mes secrets. *Rubber Soul* fut l'album de l'herbe, et *Revolver* celui de l'acide. On peaufinait de plus en plus nos albums en studio. On ne pensait plus notre musique comme une matière pour les concerts. On trouvait des choses, on expérimentait. George Martin adaptait nos volutes dans la réalité. *Eleonor Rigby*, écrite par Paul, est la première chanson rock à n'être accompagnée que par des cordes. Les mots aussi ont pris davantage d'importance. *In my life* est sûrement ma première grande chanson. Enfin, ça fait ridicule de dire ça. Je veux dire que c'était la première chanson que j'avais cherchée quelque part en moi, qui n'était plus liée à la superficialité de mon talent facile.

J'ai commencé de nombreuses chansons à cette époque, mais je sentais le vide me grignoter. Plus rien ne m'excitait. J'étais dans un état dépressif, sans même le savoir. Je restais chez moi, vautré devant la télévision. J'étais accro à *Meet the Wife*, une sorte de soap pour ménagères anglaises. Cyn était effarée de me voir fasciné par ce feuilleton. Chez moi, la télévision était allumée en permanence sans le son. C'était devenu comme un repère, un élément lumineux qui me rassurait. Je passais des journées sans parler. Mon fils était là, il jouait devant moi, et je m'en foutais complètement. Je n'étais pas heureux avec ma femme, elle m'étouffait, et c'était une souffrance invisible, car elle m'étouffait par le silence. Elle était douce et sûrement parfaite pour plein d'hommes, mais j'accumulais contre elle énormément de violence. On partageait cette atroce harmonie du rien. On était dans la vie conjucalme. À ce moment, j'ai pensé mourir plusieurs fois. Mais ce n'était pas vraiment le suicide qui me hantait, c'était plus étrange que ça : c'était comme un suicide par la vie. Je vivais ma vie avec les postures d'un mort.

Je ne sais pas si je m'en rendais compte, mais je conservais la tête hors de l'eau uniquement grâce à Paul. Il venait vers moi, avec l'éternelle bonne humeur de ses quinze ans. Il venait avec des chansons, et me disait qu'il était temps de faire un album. Je devais me réveiller, je devais composer. C'est à ce moment-là qu'on peut dire qu'il s'est emparé des Beatles. Mais il ne m'a pas volé mon groupe. Il s'est simplement investi plus que moi, et ce n'était pas très dur comme putsch. Rien de plus facile que de prendre la place d'une ombre. *Revolver* fut le dernier album de ma domination, le dernier album où l'on peut dire que je suis encore le leader du groupe que j'ai créé. Je végétais, et Paul est venu me sortir de ma léthargie pour me parler de son projet de disque concept : *Sgt. Pepper's Lonely Hearts Club Band*.

Quand j'ai entendu ce nom, j'ai dit pourquoi pas. C'était ma façon extrême d'être enthousiaste. Je ne pouvais pas penser que ce serait l'album le plus révolutionnaire de tous les temps. Ce n'est pas mon préféré, je ne l'écoute jamais. Je ne sauverais rien de cet album, à part peut-être *A day in the life*, et encore je ne suis pas certain que ça soit aussi bon que je le pense. À cette époque, les chansons sorties en 45 tours n'étaient jamais incluses dans les albums. Peut-être qu'avec mon *Strawberry fields* et le *Penny lane* de Paul, l'album aurait été encore plus grand. Je m'en fous de tout ça. Je m'en fous de tout ça maintenant. Ça me paraît si loin. Je retiens juste le plaisir dément qu'on avait à écouter les ragots autour de nous. On avait arrêté les tournées, on ne sortait plus de disques, alors voilà, tout le monde pensait qu'on était finis. Nous, on savait qu'on faisait un truc inédit. On savait qu'ils allaient s'en prendre plein la gueule. On a été les premiers à rester des mois en studio. On devenait un gouffre financier. On passait des jours sur un morceau. À le peaufiner à l'extrême. Tout était décortiqué. Ringo s'est vraiment fait chier. Il a toujours dit que, pendant cet album, il avait surtout... appris à jouer aux échecs ! C'est vrai que c'était un album de compositeur, et pas de musicien. On lui a écrit une belle chanson, pour qu'il la chante. *With a little help from my friends* est tellement à son image, une ode à l'amitié. Joe Cocker l'a reprise à Woodstock et en a fait quelque chose de grand. Et je me souviens aussi qu'Hendrix a joué *Sgt. Pepper* en concert, juste trois jours après la sortie de l'album. C'était dingue de voir comment nos folies voyageaient dans celles des autres.

Et puis il y a eu l'histoire de la pochette. Là aussi, on voulait être inventifs. On a décidé de mettre tous les artistes qu'on admirait, de faire un patchwork baroque de nos gloires, un collage fou, comme un panthéon émotionnel du siècle. On n'était pas sûrs d'avoir toutes les autorisations. La maison de disques a tout fait pour qu'on change d'avis. Elle pensait qu'on allait se retrouver avec des procès au cul dans tous les sens, et que ça coûterait une fortune en dommages et intérêts. Finalement, on a imposé notre idée. Et l'album est sorti juste avant le début de l'été 67. Il est toujours considéré comme le plus grand album de tous les temps. Ça a été merveilleux de voir toutes les réactions. Cet été-là avait comme le goût d'une révolution. Les gens pensaient différemment, s'habillaient différemment, et voilà qu'on offrait au monde la bande-son de l'époque.

Et mieux qu'une bande-son, j'allais créer un hymne avec *All you need is love*. Depuis un moment, Brian nous demandait de penser à une chanson pour une émission de télévision qui serait diffusée dans le monde. C'était la première fois qu'une retransmission passait en mondovision. J'ai fait écouter aux autres ce morceau que je venais de composer, et ils ont dit qu'il serait parfait pour l'occasion. Ce serait le début de mon obsession pour les valeurs humanistes. Avant l'émission, j'avais le trac à mourir. Je voulais vomir. Il fallait chanter devant quatre cents millions de personnes. J'ai mâché un chewing-gum pendant la diffusion, et les gens ont pensé que j'étais incroyablement cool, alors que j'essayais simplement de me détendre comme je pouvais. J'essayais de dénouer tous les nœuds de mon estomac. Il y avait plein d'amis dans le public. On ne peut pas bien imaginer ce que ça représentait. C'était un bout de l'humanité. Et encore, si les Soviétiques n'avaient pas décidé au dernier moment de ne pas diffuser le show, on aurait eu au moins cent millions de personnes en plus. On envahissait les oreilles du monde. Et pourtant, au milieu de ces millions d'oreilles, il y avait déjà une personne pour qui je chantais. Je ne sais pas si c'était conscient ou non, mais l'amour était déjà là en moi, germant d'une manière irréversible. Non, je ne devais pas encore vraiment le savoir à ce moment-là. C'était comme une bombe à retardement dans mon cœur.

Quelques mois auparavant, le 9 novembre 66, encore et toujours le 9, j'avais rencontré une artiste un peu dingue. Cette femme dont j'avais souvent rêvé sans la connaître, cette femme que j'avais imaginée sans la savoir, cette femme que j'attendais comme un homme souffrant le martyre peut attendre la délivrance de la mort, cette femme que j'avais dessinée dans mes songes et qui me sauverait du néant, cette femme était là, maintenant, assise dans mon cerveau, et les millions de personnes commençaient à se réduire et à disparaître, à s'enfoncer dans le flou, à s'oublier dans l'amour que j'éprouvais pour une seule personne, une seule personne qui réduit le monde à néant, et c'est bien là la définition suprême de l'amour : une personne qui réduit le monde à néant.

Quatorzième séance

Paul était beaucoup plus branché que moi. Pendant que je végétais dans ma banlieue bourgeoise, il arpentait Londres et les galeries d'art. Je crois même qu'il a aidé à la création de *L'Indica*, la librairie-galerie où j'ai rencontré Yoko. Elle exposait là-bas. On me poussait à y aller, on me disait que ça me plairait. Mais je ne sais pas pourquoi j'ai accepté d'y mettre les pieds. Sûrement un pressentiment. Car on me proposait des trucs tout le temps. Ça changeait tout d'avoir un Beatle dans le coin. Si je passais une seconde à son exposition, elle pourrait dire à la ville entière que John Lennon en personne était venu voir son travail. Et là, ça prenait de la valeur. Les artistes voulaient qu'on les soutienne et, bien sûr, qu'on leur file du fric. Alors j'avais peur de ces traquenards. Combien de fois je m'étais retrouvé dans des endroits, avec les regards braqués sur moi, avec des chuchotements autour de mes pensées, et les gens attendant mon avis comme si j'allais annoncer la fin du monde. Cette fois-ci, c'était différent. On me proposait de visiter l'expo avant l'ouverture. Ça tombait un bon jour et j'ai dit oui.

Je suis entré, et j'ai vu cette Japonaise dans un coin. Je n'ai pas pensé qu'elle était l'artiste, mais plutôt un personnage faisant partie de l'exposition. Elle ne bougeait pas, et me fixait d'un air bizarre. Et puis, d'un coup, elle s'est précipitée vers moi. Plus tard, elle m'a dit qu'elle ne savait pas qui j'étais, qu'elle ne connaissait pas les Beatles. Elle avait simplement entendu parler de Ringo, parce que son nom voulait dire « pomme » en japonais. Mais il n'y avait pas de doute : elle savait parfaitement ce que je pouvais lui apporter. On avait dû lui dire à quel point j'étais important, riche et généreux. Elle ne s'est pas avancée vers l'homme, mais vers le mécène. Son sourire m'a paru un peu appuyé. Mais j'étais très décontracté ce jour-là. J'avais envie d'enrichir mon cerveau. D'être surpris, intrigué. Et je n'allais pas être déçu.

Dans la première pièce, il y avait un escabeau qui conduisait à une loupe. Il fallait monter et observer le mot qu'on pouvait lire. J'ai grimpé, en ayant peur de découvrir un truc cynique ou négatif, mais j'ai pu lire : OUI. Simplement le mot « oui ». J'ai éprouvé un fort soulagement. C'est idiot peut-être, mais ce mot m'a fait un bien fou. J'ai compris que j'entrais dans une bulle positive. Voilà comment a commencé mon histoire avec Yoko : avec un oui. C'est le meilleur oui de ma vie.

On s'est promenés à travers l'exposition. Elle me tenait le bras, et tentait de m'expliquer ses intentions. J'aimais certaines choses, d'autres me plaisaient moins. Je vivais un moment si étrange. J'avais l'impression de subitement m'extirper de ma léthargie. J'avais un avis sur son travail, je réagissais. C'était enfin la fin de mon anesthésie. Chaque détail est d'ailleurs resté gravé dans ma mémoire. Je vivais le présent en sachant que cette journée s'installait dans le panthéon de mes souvenirs. Il y avait tant d'idées chez Yoko. Je l'ai immédiatement respectée en tant qu'artiste. Elle me parlait de ses prochains projets, d'exposer des boîtes à sourires, ou de faire toute une installation uniquement avec des moitiés d'objet. Je ne voyais pas la femme, je pense même l'avoir trouvée quelconque. C'est son esprit et son talent qui m'ont amené à l'aimer et à la trouver belle.

J'ai vu quelques clous qu'on pouvait planter sur un mur. J'ai voulu en prendre un, mais elle m'a retenu. Il ne fallait rien toucher avant le vernissage. Finalement, elle a proposé que j'en plante un pour cinq shillings. J'ai répondu que je voulais planter un clou imaginaire... pour cinq shillings imaginaires. Elle s'est mise à rire, et je l'ai rejointe dans le rire. J'ai tout de suite admiré son humour. Son aptitude à distordre la réalité. Il y avait tant de détails qui faisaient écho à ma propre façon de voir les choses. Je n'étais pas si éloigné du monde de Lewis Carroll. Nous avons ri encore, de ce rire qui est autant la preuve du bien-être que de la gêne. J'étais bien incapable sur le moment de définir précisément ce qui se passait, d'y voir les prémices du séisme émotionnel, mais je sentais bien qu'il se passait quelque chose de fort.

Je voulais partir, mais Yoko ne lâchait plus mon bras. Elle voulait continuer notre discussion, alors que j'avais envie d'être seul pour digérer ce que j'avais vu. Je me suis précipité dans ma voiture. Le chauffeur a roulé un long moment. C'était la première fois que je rencontrais une telle femme. Pendant l'exposition, elle m'avait donné une carte où il était simplement écrit : « Respire. » Pendant des mois, elle m'enverrait tous les jours une indication. Certaines m'agaceraient, d'autres m'amuseraient, et ce serait comme mon ressenti pendant la visite : rien ne me laisserait jamais indifférent avec Yoko.

Au début, elle était dans ma tête quelques minutes par jour. Puis elle a grignoté progressivement de l'espace dans mes pensées, avant d'envahir complètement mon esprit. Et parfois de manière négative. Il arrivait même qu'elle me fatigue. Elle débarquait chez moi, me tenait la jambe et faisait semblant d'oublier une bague sur un coin de table pour pouvoir revenir. Elle ne voulait surtout pas rompre le lien établi. Elle voulait que je finance sa prochaine exposition. J'allais le faire, et notre relation ne serait peut-être que professionnelle. Je ne cherchais pas à analyser ce qui se passait. Etrangement, c'est Cynthia qui m'a fait vaciller. C'est elle qui m'a dit que j'éprouvais des sentiments pour Yoko. Je me rappelle avoir été vraiment surpris par ses mots. Etaient-ils absurdes ? Etaient-ils lumineux de clairvoyance ? Peut-être que les femmes ont cette intuition, de repérer immédiatement celle qui va leur succéder ? Peut-être que Cyn me connaissait mieux que je ne le pensais ? Elle savait que, toute ma vie, j'avais eu besoin de personnes fortes. De personnes qui devaient jouer le rôle de la mère ou du père. Elle avait vu en Yoko cette capacité à me dominer, à être ma nouvelle mère. Quant au père, je dois bien avouer que plus rien n'était pareil avec Brian. Son aura avait décliné. Il allait mourir, et j'allais avoir besoin d'un nouvel homme à écouter. Ce serait le Maharishi.

Depuis quelque temps, George ne cessait de nous parler de l'Inde. Il avait appris le sitar et en jouait même sur un morceau de *Sgt. Pepper*. C'est lui qui a évoqué en premier le Maharishi, un gourou qui avait ouvert de nombreux centres de méditation en Grande-Bretagne. Il nous a dit qu'il allait le rencontrer à Bangor, au pays de Galles. On a tous décidé de l'accompagner. On avait encore besoin de faire des choses en bande, de se sentir protégés par le groupe. Mick Jagger aussi est venu, et plein d'autres. La rumeur s'est propagée, et il y eut une foule démente sur le quai de la gare. Un policier a pris Cynthia pour une groupie et l'a empêchée

de passer. Elle m'a finalement rejoint le lendemain. J'ai pensé que la folie de nos vies ne ces-
serait jamais. On allait chercher du calme et
ça se transformait en émeute.

Le Maharishi a été très heureux de nous
accueillir. Notre présence donnait un écho
international à ses conférences. On était la
meilleure agence de pub au monde. Je m'en
foutais. Je voulais chasser le chaos qui nous
entourait. J'avais tellement besoin de trouver
quelqu'un sur qui je pourrais me reposer.
Quelqu'un que je pourrais suivre. Je rêvais tellement de ça. Et je n'allais pas être déçu. Dès
la première rencontre, j'ai senti quelque chose
de simple et d'instinctif. Il m'a serré la main,
un peu plus longuement que le temps que l'on
met habituellement à serrer une main. Ça voulait tout dire pour moi. C'était une connivence
immédiate des corps. C'était un petit mec, mais
avec une très grande présence. Il parlait doucement, et n'avait jamais besoin d'élever la voix
pour que tout le monde l'écoute. Ce qu'il disait
était toujours simple et clair. Avec beaucoup de
douceur dans le phrasé. Je me suis senti en terrain familier. Je savais que je pouvais le suivre.
Il nous a expliqué comment se passaient les
séances de méditation. Le seul but était
d'atteindre la paix intérieure. Nous étions
riches, nous étions célèbres, et nous cherchions
à trouver un sens à la vie.

C'est là, au cœur de nos aspirations lumineu-
ses, qu'on a été rattrapés par une terrible nou-

velle. On était dans une salle en train de parler quand le téléphone a sonné. Ce n'était pas bon signe du tout. Personne n'avait notre numéro ici. C'était Peter, l'assistant de Brian. Il a demandé à parler à Paul. Il savait que la nouvelle serait trop dure pour moi, et peut-être qu'il n'avait tout simplement pas le courage de me parler. Paul a marché vers le téléphone avec une étrange nonchalance. Comme s'il voulait repousser le moment de l'annonce. Il a pris le combiné et est devenu blême. Il a raccroché sans rien dire. Personne n'a osé demander ce qui se passait. Peut-être parce qu'on avait compris. Jane, sa fiancée, s'est approchée de lui. Il n'arrivait toujours pas à parler. Au bout d'un moment, je ne sais plus combien de temps exactement, il a simplement dit : « Brian est mort. »

On a mis du temps à en savoir plus. On a finalement appris qu'il était mort par absorption excessive de médicaments. On ne savait pas s'il fallait parler d'un suicide ou d'une inconscience. Après, on a entendu tellement de conneries sur son compte. On a lu qu'il avait succombé pendant un jeu sado-maso. Mais qu'est-ce qu'on en savait, nous ? C'était un monde qui s'écroulait. Ce mec-là nous avait sortis du Cavern Club, et voilà qu'on était à des centaines de kilomètres de lui au moment de sa mort. Le Maharishi nous a dit qu'on ne devait pas être tristes. Il a insisté : la tristesse des survivants est le meilleur moyen d'alourdir l'envol d'une âme. Selon lui, on devait être joyeux pour ne pas entraver son voyage. Je crois que ses mots m'ont fait du bien, mais ils m'ont empêché de pleurer. Comme si souvent dans ma vie, j'ai enfoui ma douleur.

Il faut dire la vérité : à notre douleur s'ajoutait un sentiment immense de culpabilité. Brian ne vivait que pour nous, et depuis quelques mois on l'avait délaissé. On ne faisait plus de concerts, on passait des semaines en studio, alors son rôle s'était considérablement amoindri. Il se sentait seul et exclu. Pour ne rien arranger, son contrat arrivait bientôt à expiration, et il avait une peur bleue de ne pas être reconduit. Peut-être aussi qu'on ne lui avait pas pardonné le calvaire des Philippines ? Je ne sais pas. Peut-être qu'il n'y a rien à dire. La vie avançait, on mûrissait. On avait moins besoin de lui, et c'était tout. Il était devenu comme un vieil oncle qu'on doit voir aux anniversaires. Je me rends compte maintenant que ça a dû être atroce. On aurait dû continuer à partager des choses avec lui. Il avait été si doux, si attentif, surtout avec moi. J'avais certainement une plus grande responsabilité dans sa dérive, car c'était moi qu'il aimait. Mais je peux toujours parler maintenant. C'est trop tard.

Quand on le voyait, il tentait toujours de paraître rayonnant. Avec nous, il jouait un personnage. Après sa mort, beaucoup de gens nous ont parlé. On nous a raconté que cela faisait des semaines qu'il ne venait plus au travail. Il lui arrivait de disparaître pendant des jours, alors qu'avant il faisait en sorte d'être tout le temps joignable. On nous a évoqué sa cyclothymie, ses crises et ses colères, tout ce qu'on n'avait jamais vu. J'ai pensé à lui, à sa souffrance. Depuis des semaines, il ne dormait plus. George Martin m'a dit qu'il serait mort un jour ou l'autre, car on l'aurait forcément quitté. Oui, on se serait séparés de lui, car on commençait à nous dire qu'il gérait très mal nos affaires. Il a peut-être anticipé par la mort son désaveu. Il y a sûrement de tout ça dans sa dernière nuit. Mais il nous laissait là, maintenant. Avec notre groupe sur les bras. Et je peux le dire : c'est l'annonce de sa mort qui a marqué notre agonie.

J'étais effondré, et ce qui était déjà en gestation s'est accentué : Paul a définitivement pris le groupe en main. Il a dit qu'on ne pouvait pas rester comme ça, qu'il fallait tout de suite enregistrer. Il avait l'idée de faire un film, une sorte de road-movie musical. C'est ce qui a donné *Magical Mystery Tour*. Il a pratiquement tout décidé dans ce projet. Au bout du compte, le film a fait un énorme bide, et on s'en est pris plein la gueule par les critiques qui ont traité le résultat de merde fumante. Intérieurement, je ne pouvais réfréner une certaine joie. J'étais bien content que Paul se plante un peu. Je voulais qu'il arrête d'être perché sur la certitude de sa domination.

Pour cet album, j'ai enregistré *I am the Walrus*. J'ai su qu'il se passait quelque chose en la chantant. C'était exactement comme si ma folie avait baisé avec mon génie. Je chantais que je pleurais. Et je pleurais la mort de Brian, oui. C'est une chanson que j'ai enregistrée quelques jours après son enterrement, et quand je la réécoute, je ressens son cadavre. Tout le monde a dit que cette chanson était exceptionnelle, mais qu'elle n'était pas assez commerciale pour faire une face A. Ça m'a vraiment dégoûté. Elle s'est retrouvée en face B d'*Hello goodbye*, une des chansons les plus cons de Paul. On ne pouvait plus se comprendre.

Le Maharishi nous attendait en Inde, mais on avait trop de choses à régler pour pouvoir partir tout de suite. La mort de Brian nous a obligés à mettre la tête dans nos affaires. On s'est rendu compte qu'on n'était pas si riches que ça. Et que nos contrats étaient vraiment merdiques. Il fallait qu'on prenne des décisions. Et surtout : qui allait s'occuper de nous ? Tout cela n'a pas d'importance maintenant, et je n'ai pas envie de m'étaler là-dessus pendant des heures, mais cette question a foutu en l'air les Beatles. On s'est déchirés. Il allait y avoir deux clans. Paul voulait que les Beatles soient gérés par les Eastman, sa nouvelle belle-famille. Et nous, on voulait Allen Klein. À la majorité, Klein allait être choisi, ce qui provoquerait finalement le départ de Paul. Mais bon, c'est plus tard tout ça. Juste après la mort de Brian, on a laissé les avocats nous dire ce qu'on devait faire. Ils nous ont annoncé qu'on devait créer une société pour éviter de payer des millions de livres sterling d'impôts. C'est comme ça qu'est née Apple.

Créer une société nous paraissait formidable. On ne pensait pas en termes de profit. On voulait signer sur notre label des artistes qu'on aimait, comme James Taylor. Ce serait une bulle de l'utopie créatrice. C'était l'été de l'amour, on pensait tous qu'il fallait changer le monde. Et nous, les Beatles, on allait le faire concrètement. Mais bon, Apple est vite devenue le fourre-tout de tous les délires. On a même ouvert une boutique de fringues. Paul a dit que ça serait cool de ne vendre que des habits blancs. Finalement, je ne sais plus qui a dessiné ces vêtements de merde. Peut-être nous ? En tout cas, je devais être vraiment défoncé le jour où j'ai donné mon feu vert pour notre collection. On a tout fait n'importe comment. Et finalement je peux le dire : Apple a été une belle machine à jeter le fric par la fenêtre. Et même toutes les fenêtres de l'immeuble.

J'avais un bureau, et je recevais tous les tarés qui me vantaient leur idée, ou qui me faisaient écouter leur maquette. J'aurais dû filmer ce délire. On s'est écartés de ce qu'on savait faire. On s'est tiré une balle dans le pied avec cette connerie. Tant de problèmes viennent de cette société à laquelle on était liés. Paul a dû finir par nous attaquer en justice pour pouvoir se barrer. Encore maintenant, il y a des litiges qui courent. Je ne sais même pas exactement quels sont les problèmes. Si ça se trouve, les fils de nos avocats vont continuer le combat, et leurs petits-fils aussi, et ainsi de suite, et un jour un petit con dira : « Mais c'était qui, les Beatles ? » On n'aurait jamais dû aller là-dedans. Jamais. Ça faisait des années qu'on nous conduisait, je n'avais jamais eu un billet dans ma poche, et voilà que je devais mener un navire. Ça revient à demander à un mec toujours à découvert de devenir ministre du Budget. On payait des dizaines de personnes à ne rien foutre, on avait embauché des secrétaires juste pour mater leurs seins, on produisait des disques uniquement parce que le chanteur était le beau-frère de la belle-sœur d'un mec qu'on connaissait. On nageait dans la vapeur.

Quand on a choisi Klein pour gérer nos affaires, il a vraiment mis de l'ordre. C'est-à-dire qu'il a fait le sale boulot. Il a viré plein de gens. Ça a été l'hécatombe. Les mecs n'en revenaient pas. Ils bouffaient sur notre dos depuis des mois, et maintenant on était des gros salauds de capitalistes. Klein a aussi dit qu'il fallait fermer la boutique de fringues. On en a profité pour offrir le stock. Tous les gens sont venus se servir. C'était vraiment cool de vivre ça. J'ai aimé ce jour-là. Ça aurait dû être ça, Apple, un truc caritatif ou je ne sais pas. De toute façon, j'ai toujours eu un problème avec l'argent. Je n'ai jamais assumé mon côté plein de fric. Au fond, je ne suis pas un mec généreux, mais un mec mal à l'aise avec l'argent.

Après tout ce grand n'importe quoi, il était temps de partir en Inde. Encore une fois, le monde entier allait nous regarder et faire comme nous : se mettre à l'heure indienne. Les dernières semaines, j'avais vu Yoko plusieurs fois, on avait flirté à l'arrière de ma voiture, on se tournait autour d'une manière bizarre, mais je n'arrivais toujours pas à avoir une idée précise de ce que je pensais. Je me souviens juste que ça m'emmerdait de partir si loin sans elle. Surtout, je ne savais pas combien de temps allait durer notre voyage. On allait méditer, peut-être trouver la paix définitive, et il y avait une part de moi qui pensait : on ne va jamais revenir. J'ai vraiment hésité à lui proposer de faire le voyage avec nous, mais bon, Cynthia venait, alors je ne pouvais pas emmener les deux.

L'Inde. Faudrait que je parle des choses sans les entacher de ce que j'ai pensé ou vécu par la suite. Je veux dire, je ne peux pas nier que notre arrivée là-bas a été quelque chose d'exceptionnel. Le camp était à taille humaine, on nous laissait en paix. On passait de belles soirées à discuter sous les étoiles. Et la journée, on faisait de longues séances de méditation. J'évacuais enfin les cris et la folie des dernières années. C'était une cure de silence. Et pourtant, presque malgré moi, des chansons sortaient dans tous les sens de ma tête. J'ai composé parmi mes plus belles mélodies, toutes celles de l'album blanc. Je me sentais très bien, mais j'écrivais *Yer Blues* où je criais que je voulais mourir. La création surgit souvent indépendamment de nos sensations. Elle suscite en permanence des énergies souterraines. C'était sûrement une avancée inconsciente sur le désastre qui s'annonçait.

George et moi, on était sur la même longueur d'onde. Paul, lui, semblait apprécier l'expérience, mais une grande partie de son esprit était restée en Grande-Bretagne. Il me parlait tout le temps des Beatles, alors qu'ici, il n'y avait plus de Beatles. Il voulait qu'on reparte en tournée ; je n'en revenais pas. Ça ne m'étonne pas de le voir maintenant arpenter les États-Unis avec les Wings, alors que je ne bouge plus de chez moi. En Inde, j'écrivais des chansons, mais je ne pensais pas du tout à un album, et encore moins à ma carrière. Je composais car c'était en moi, et il fallait que ça sorte. C'est tout. Alors que Paul mettait du concret dans ce terrain de l'ailleurs. Il avait la méditation pragmatique.

Quant à Ringo, pour lui l'expérience fut plutôt comique. Il s'est barré au bout de quinze jours. Le manque de confort, la bouffe, sa vie, ses enfants, tout lui manquait. Et surtout : Maureen, sa femme, devenait folle à cause des mouches. Elle pouvait passer des heures à en fixer une, à guetter son mouvement pour la chasser du bungalow. Mais tout ça était assez normal. Le côté apaisant du lieu pouvait rendre dingue. Mia Farrow était là pour se remettre de son divorce avec Sinatra. Prudence, sa sœur, était devenue complètement tarée. Elle est restée enfermée pendant trois semaines dans sa chambre, dans un état de panique absolue. La méditation propulsait vers un versant sombre, en nous permettant d'accéder à une sorte de lucidité très crue. Il fallait pouvoir supporter ça. Prudence nous faisait très peur. Elle était vraiment au bord du suicide. J'ai trouvé les mots pour la faire sortir, et après j'ai composé une chanson sur elle, pour la réconforter.

Et puis, quelque chose dans ce paradis s'est déglingué. On a commencé à douter du Maharishi. Ça s'est mal fini. Mais je ne sais plus que penser maintenant. Je crois que les méditations nous chamboulaient. Je suis resté cinq jours sans dormir, j'avais des hallucinations. On ne savait plus où était la réalité. La paranoïa reprenait le dessus. Il y a eu des histoires disant que le gourou était très insistant pour coucher avec une fille, mais après tout, il n'avait jamais prôné l'abstinence sexuelle. Sur le moment, on a cru que son message était brouillé. C'était comme une atroce désillusion. J'avais besoin de suivre un surhomme. Et je n'étais qu'avec un mec normal. Ou un mec un peu plus élevé que la moyenne, mais c'était tout, et j'ai dû penser alors que tout ça c'était du cinéma. Du putain de cinéma. Je suis allé le voir, et il n'a pas compris mon agressivité. Il m'a demandé ce qui se passait, et je lui ai répondu : « Si vous êtes aussi cosmique que vous l'affirmez, alors vous devez savoir pourquoi nous partons. » Ça s'est fini comme ça.

On s'est barrés à fond, comme des tarés. Je crois qu'on flippait. Je ne sais pas, on avait peur du mal qu'il pouvait nous faire. Il avait un regard si noir.

Je n'arrivais plus à me dire que j'avais passé ici des semaines merveilleuses. Des semaines où j'avais été calme et sobre. J'oubliais la beauté et les bénéfices pour ne voir que la crasse qu'il fallait fuir. J'avais peut-être créé les conditions du doute pour justifier ma fuite. Car je voulais rentrer. Il y avait quelque chose d'unique à vivre qui m'attendait, et je le savais. Alors oui, j'ai sûrement rêvé le malaise, comme un homme lâche devient salaud pour être quitté.

Sur la route, on a crevé. J'ai pensé que c'était à cause du gourou qui nous avait jeté un sort. Il se vengeait. On ne s'en sortirait pas comme ça. On allait mourir desséchés. On est restés avec Cynthia plusieurs heures au soleil, sans rien à boire. Finalement, quelqu'un est venu à notre secours et tout s'est arrangé. Il n'y avait eu ni sortilège ni vengeance, mais juste un manque de chance. Une fois arrivés à l'aéroport, en regardant toutes les destinations sur le panneau des départs, j'ai compris que tout me ramènerait toujours chez moi. J'étais un faux nomade. J'étais soulagé d'être dans le ciel avec ma femme, et c'était un soulagement qui n'avait rien à voir avec elle. Et pourtant, je me suis engouffré dans une folie, celle de lui dire des mots d'amour. On volait, on volait, et sa tête était posée sur moi. Elle paraissait si heureuse. Si heureuse et surprise de mes mots. Elle pensait qu'elle me retrouvait. Que le voyage nous avait purifiés. Et moi je savais bien que tout était faux. J'abreuvais ma femme de mots d'amour, et c'était comme une façon morbide de l'enterrer.

On volait vers un cadavre, on volait vers notre passé. L'hôtesse s'est arrêtée un instant près de nous pour savoir si tout allait bien. Quand elle est repartie, j'ai regardé son cul. Je n'avais pas vu une femme inconnue depuis si longtemps. Elle m'avait souri à plusieurs reprises en me parlant, et ses sourires me rappelaient que j'étais John Lennon. J'ai tourné la tête, et Cynthia était toujours là. Agaçante par sa présence. Insupportable par sa présence. Si je n'avais pas été dans un avion, je serais sorti tout de suite. Je me serais barré en courant. J'ai bu plusieurs fioles de whisky, et j'étais comme assoiffé. L'alcool m'avait manqué. Je ne pouvais plus m'arrêter de boire. C'était le début d'une longue dérive qui s'annonçait. J'avais subitement envie de crier tout le silence accumulé en Inde.

Cynthia me regardait avec effroi, elle rangeait son visage de femme épanouie. Non, elle ne le rangeait pas, mais je le lui retirais de la gueule et je le piétinais. Les mots d'amour n'existaient plus. Les mots d'amour étaient morts. J'ai parlé de toutes les femmes que j'avais baisées, et je concentrais mon récit sur celles qu'elle connaissait. Il fallait lui arracher le cœur. Il fallait l'opérer sans anesthésie. Elle s'est mise à pleurer, mais à pleurer comme une Anglaise, avec dignité, comme si elle cachait ses larmes dans un coin de son œil, pour, une fois seule, tout laisser couler. Des tonnes de larmes. Car je continuais. Et elle me trouvait des excuses : le chamboulement du départ, l'alcool, que sais-je encore ? Je lui sortais des horreurs, et elle les émiettait dans l'océan de son espoir permanent.

Quand je suis arrivé chez moi, j'ai continué à boire. Je ne pouvais pas affronter une discussion. J'étais si mal, si profondément mal, comme si je payais la parenthèse indienne, comme si la souffrance avait sagement attendu mon retour et s'était accumulée comme de la poussière dans une maison vide. Tous les morts étaient là, avec moi. Stu, Brian et ma mère, ma mère dont le manque me faisait un mal de chien. J'ai pris beaucoup de drogue, et Cynthia a enfin admis que la situation était insoutenable. Alors elle est partie en voyage avec Julian. Elle n'avait pas d'autre choix.

J'ai appelé Pete Shotton, mon copain de toujours, et on est sortis à Londres. C'était le retour dans la ville. On a fait la tournée des bars et rien n'avait changé. J'ai pensé un instant au Maharishi ; j'ai pensé que j'avais été stupide de partir ainsi. Partout où j'allais, la vacuité m'attendait. Pourtant, je connaissais la solution. Je ne pouvais pas encore dire les mots, mais je savais ce qu'il fallait faire. On est rentrés chez moi. C'était le soir, ou peut-être le matin. Tout se mélangeait. Je ne savais plus rien des jours et des heures, mais j'avais une certitude : il était temps d'appeler Yoko.

Quinzième séance

Yoko était mariée ; et son mari avait eu la bonne idée d'être en voyage au moment de mon appel. L'échange a duré quelques secondes, même pas. J'ai dit que c'était moi et que je lui envoyais mon chauffeur. Elle est arrivée dans la soirée, et Pete était encore là. Elle a paru gênée par sa présence, et moi aussi, et lui aussi d'ailleurs. Mais je voulais qu'on demeure un peu dans cette gêne. J'avais peut-être envie que la gêne du trio, une fois décomposée, nous propulse dans l'aisance du duo. Oui, c'était sûrement ça, car après le départ de Pete, on s'est mis à rire d'être tous les deux. Cette première heure de frustration a facilité la détente des heures suivantes. Je crois que j'aurais été complètement terrifié à l'idée d'accueillir Yoko tout seul. Elle n'était pas une femme mais un monde.

On est montés au premier étage, dans mon studio. Je lui ai fait écouter quelques maquettes. Yoko était très sensible à la musique. Elle avait travaillé avec John Cage et ils avaient des univers très proches. Elle allait m'initier à tous les travaux sonores avant-gardistes. Toutes ces œuvres composées à partir de sons, de bruits de la vie, de dialogues. Cela correspondait parfaitement à mes aspirations d'exploration musicale. Ce soir-là, on a enregistré des chansons. Notre première nuit ensemble a été extrêmement productive. J'étais face à ce que j'avais toujours cherché : une femme qui serait aussi une compagne de la création. Et le bonheur physique se cachait là, derrière la priorité intellectuelle du désir.

L'aube est arrivée et nous avons fait l'amour.

Nous nous sommes promenés juste après, dans le brouillard des matins anglais, dans cette parcelle du temps qui hésite entre le jour et la nuit. Je voudrais décrire le merveilleux, et sûrement n'y a-t-il pas de mot pour mesurer la pureté de la joie qui s'est emparée de moi. J'allais enterrer mon passé. Pour la première fois de ma vie, la route qui s'offrait s'annonçait totalitaire. On s'est installés dans la cuisine pour le petit déjeuner. Nous étions importants de notre amour révélé. Yoko a enfilé la robe de chambre de Cynthia, et je pensais que les choses allaient avancer dans la simplicité. J'ai été presque surpris de voir ma femme débarquer. J'avais oublié qu'elle existait, comme un alcoolique peut oublier l'eau au cœur de l'ivresse. Elle est restée plantée, immobile, à nous fixer. Absolument tétanisée. Elle a sûrement compris immédiatement que tout était fini. La mise en scène de notre petite tragédie familiale, je m'en rends compte maintenant, était d'une brutalité sadique. Mais qu'y avait-il à dire ? Il n'y avait pas de mot. J'avais rangé tous les dictionnaires pour être libre d'aimer.

J'ai fait comme si elle n'était pas là. Je m'en foutais d'elle. Je me foutais de tout désormais. J'avais trouvé ma raison de vivre : la raison de tout quitter. La violence de mon attitude a poussé Cynthia à la fuite. Par ma saloperie, j'empêchais toute discussion. Si j'avais laissé une faille, laissé apparaître une sensibilité dans mon œil, un remords ou un regret, alors je lui aurais ouvert une porte. Que se serait-il passé si elle s'était mise à genoux ? Si elle m'avait supplié de ne pas la quitter ? J'avais une peur effroyable du divorce. Je ne sais pas. Alors j'ai tout fait pour éviter ça. Je l'ai brutalisée. Elle est montée prendre ses affaires. Elle, si silencieuse depuis toujours, agissait subitement avec des attitudes d'ouragan. Je l'entendais casser des choses et claquer des portes. Et puis plus rien. Je suis retourné dans le salon. Par la fenêtre, j'ai vu sa voiture s'éloigner dans notre jardin. Elle était loin, mais il m'a semblé pourtant entendre le bruit de ses larmes.

Je suis parti aussi, et j'ai emménagé avec Yoko. On aurait pu aller n'importe où, on aurait pu vivre dans une cabane. Je me sentais comme un bohémien. Je n'avais plus besoin de rien car j'avais tout.

Quand nous nous sommes mariés, plus tard à Gibraltar, j'ai pris son nom. Je m'appelle John Ono Lennon. Nous avons fusionné. J'ai trouvé ma moitié, celle avec qui je ne formerai qu'une personne. Partout où j'irai, elle sera avec moi. Certains y ont vu une aliénation du couple, alors que c'était tout le contraire. Avec elle, je venais de trouver la liberté. La liberté suprême, celle qui est au sein de toute fusion. Avec Yoko, j'étais enfin complet. Je me sentais achevé. J'avais vécu jusqu'ici dans l'inaboutissement de moi. Je venais de trouver le refuge. Je venais de trouver la mère.

Yoko est moi.

Elle a bouleversé ma vie à tous les niveaux. Elle m'a appris les femmes. Avant, je ne les voyais pas. Je les maltraitais. Je me faisais servir comme tous les autres mecs, et c'est encore pire quand on est une star. Ça me paraissait inouï qu'une femme puisse lire le journal avant moi. C'est l'exemple qui me vient, comme ça. Le monde tournait autour de moi, et je ne pouvais faire autrement que de devenir fou. Les gens meurent de leurs privilèges. Yoko m'a éduqué. Personne ne sait à quel point nous avons une relation de maître à élève.

Les chansons enregistrées pendant notre première nuit ont donné un album que nous avons baptisé *2 Virgins*. Ce que nous étions. Nous étions vierges. Notre passé n'existait plus.

Nous naissions au monde.

Cette virginité, il fallait qu'elle soit totale. J'ai pris des photos de nous complètement nus pour la pochette du disque. On n'a pas choisi la plus belle, ou celle qui nous mettait le plus en valeur. On voulait paraître dans la crudité pure de notre révélation. On voulait arrêter tous les artifices. On voulait s'offrir avec nos défauts et nos imperfections : John et Yoko. J'ai voulu sortir le disque sur notre label. Et tout le monde s'est mis à paniquer. Surtout à cause de la pochette. C'était inédit, comme tout ce qu'on allait faire. Je ne comprenais pas les réticences. On était un couple qui s'aimait, qui voulait partager son amour, et je ne voyais pas en quoi c'était mal. J'ai vu d'entrée la haine que tout cela suscitait. Quelque chose gênait, choquait. Je n'ai pas tout de suite compris que Yoko allait poser problème, qu'elle allait devenir la femme la plus détestée du monde.

Tous semblaient consternés. Paul disait que j'étais fou. Que j'allais couler les Beatles avec mes conneries. Les filles et les mères allaient être dégoûtées. Et tout serait fini. Mais je me foutais de leur avis. J'allais sortir ce disque et c'était tout. Ça a fait un énorme scandale, et il a même été interdit dans certains pays. Quand on voit que tout le monde pose à poil maintenant, il n'y avait vraiment pas de quoi faire un tel cirque. Aujourd'hui, c'est poser en col roulé qui serait choquant ! Malgré nos déclarations sur la drogue, nos chansons tendancieuses, on nous voyait encore comme des gars sympas. Cette fois-ci, j'allais vraiment mettre un coup d'arrêt à tout ça. J'allais enfin être moi. Bien sûr, les cons s'en foutaient qu'on soit des artistes. Tout le monde ignorait notre message de beauté et d'amour. Tout était parasité par la polémique. On oubliait qu'il y avait un disque derrière tout ça. D'ailleurs, personne ne l'a vraiment écouté. Les gens étaient bien trop occupés à commenter nos corps qu'ils jugeaient laids. Ils ne parlaient que de la pochette sulfureuse. De cette photo qui brisait mon image.

On s'est installés dans un appartement prêté par Ringo. Hendrix y avait séjourné juste avant nous. On restait de longues heures au lit, parfois des journées entières. On buvait du champagne. C'était notre période de sexe et d'oubli. Mais le bien-être qui s'emparait de moi a été paradoxalement le début de ma réelle addiction à l'héroïne. Yoko et moi, on était défoncés en permanence. Peut-être parce qu'on sentait l'hostilité ambiante et qu'on voulait se protéger. Peut-être parce qu'on était l'union de deux souffrances. Peut-être pour tous les peut-être. Je sais qu'à ce moment-là, je suis devenu encore plus fragile et paranoïaque. Plus personne ne pouvait me parler. C'est drôle, j'ai discuté de tout ça avec Ringo il y a quelques jours. Il m'a dit qu'à cette époque tout le monde prenait des pincettes avec moi, pour ne pas me heurter. Un jour je me prenais pour le Christ, un autre je cherchais une fenêtre pour sauter.

L'héroïne a sûrement accentué notre nécessité d'être inséparables. On peut avoir l'impression de mourir sans son compagnon de drogue. À Londres, c'était le temps de la chasse aux junkies. Ce que j'ai toujours trouvé honteux. Je ne vois pas au nom de quoi on traite les consommateurs comme des criminels. Il faudrait plutôt se demander pourquoi les gens se défoncent. Pourquoi on en arrive là, à ne plus supporter le quotidien. Pourquoi la vie est un tel fardeau. Au lieu de ça, un petit flic de merde s'est mis en tête de coffrer toutes les stars du rock. Une vraie chasse au génie. Une taupe nous a mis au courant de la descente prévue dans notre appartement. On a tout nettoyé comme des dingues. Mais on avait peur, avec Hendrix et tous les autres défoncés passés par là avant nous, que les flics trouvent quand même sous les canapés des boulettes de shit ou de la poudre. Et ça n'a pas manqué. Ils ont trouvé de quoi nous emmerder. Ils avaient sonné à l'aube, pour nous cueillir comme si on était des vauriens. On a été arrêtés, et j'ai tout de suite pensé qu'ils pourraient renvoyer Yoko car elle n'était pas anglaise. Pour la protéger, j'ai plaidé coupable. Et j'ai payé une amende. Les choses se sont réglées comme ça. Sans le savoir, je venais de faire une très grosse connerie. Le fait d'avoir plaidé coupable me poserait plus tard de très nombreux problèmes.

On voulait vivre gentiment notre bonheur, mais il y avait toujours quelqu'un pour nous foutre notre merde à la gueule. Et puis on a appris la bonne nouvelle : Yoko était enceinte. J'étais fou de joie. Je ne peux pas l'expliquer. Mon amour m'apportait un sentiment paternel jamais éprouvé avant. Yoko devait se ménager au maximum, surtout qu'elle avait déjà subi de nombreux avortements. Mais bon... Ça été horrible... Elle a fait une fausse couche. Ça nous a complètement abattus. Je suis resté allongé par terre, dans la chambre d'hôpital. Je pensais à cet enfant qui n'existerait pas. Les médecins nous ont dit que ça serait très compliqué pour Yoko de tomber enceinte à nouveau. Ils ont sous-entendu que la drogue avait abîmé son organisme. Ça me rendait malade de penser qu'il n'y aurait jamais de fruit à notre amour.

C'est à cette époque qu'on a enregistré l'album blanc. On ne savait pas quelle forme prendrait ce projet. Au bout du compte, vu le nombre de chansons, on a décidé d'en faire un double album. Qu'on appellerait simplement *The Beatles*. Je pense que mes meilleures chansons sont là. Quelque chose s'est passé. Même George a pris de l'envergure en tant que compositeur. C'était pas trop tôt. Souvent, quand il nous proposait des trucs, on était gênés. Mais là, sa progression était réelle. Faut dire que ça l'a sûrement aidé de vivre aux premières loges de deux génies comme Paul et moi. Il commençait à se sentir à l'étroit dans le groupe. Il avait plein de chansons. *While my guitar gently weeps*, c'est pas mal quand même. Il aurait dû faire le solo lui, et pas demander à Clapton. Peut-être qu'on aurait dû lui faire plus de place sur cet album. En tout cas, j'ai compris plus tard qu'il n'avait pas du tout apprécié que Yoko et moi on utilise plusieurs minutes pour *Revolution 9* qu'il considérait comme une merde avant-gardiste.

Yoko assistait à chaque enregistrement. Et même quand elle est tombée malade, on a installé un lit dans les studios d'Abbey Road. Je voyais bien que ça les gonflait tous. Aucune fille jusqu'ici n'avait été tolérée. Mais c'était comme ça. Je le répète : elle ne m'accompagnait pas, nous étions la même personne. Et je respectais beaucoup son travail. Je pensais qu'il fallait l'écouter. Qu'elle pourrait avoir une grande influence sur nous. Au contraire, les autres étaient agacés par ses remarques, par sa façon de dire Beatles au lieu de The Beatles. Je crois qu'elle voulait bien faire, et elle ne comprenait pas pourquoi elle n'intégrait pas tout simplement le groupe. George a pété les plombs et s'est cassé. Il n'a plus donné de nouvelles pendant un moment. Mais il est revenu. Après, ça a été au tour de Ringo qui s'est barré sur le bateau de Peter Sellers. Je ne me souviens plus vraiment pourquoi, ni des dates. Il y avait de plus en plus de tension entre nous. Puis Ringo aussi est revenu. Il devait s'attendre à un accueil glacial. Mais ce fut le contraire. On lui avait mis des fleurs partout sur sa batterie pour lui dire qu'on l'aimait. Toutes ces petites séparations annonçaient la grande. Le groupe n'existait plus vraiment. Il y avait quatre entités collées. On partageait la garde de l'enfant

Beatles. Si on écoute l'album, nos différences sont flagrantes. Et pourtant, cela forme un tout absolument cohérent. Je crois bien que c'est ça notre magie. L'accord des désaccords.

C'est cette année-là que Paul a composé *Hey Jude*, en hommage à mon fils, pour le consoler du divorce de ses parents. C'était la première fois qu'un single dépassait les sept minutes. Ça a été un triomphe planétaire. Il sortait des tubes avec une facilité déconcertante. Malgré tout ce qui nous séparait de plus en plus, et ce que j'ai pu dire, il y a toujours eu une admiration réciproque. Et il nous arrivait encore de passer de bons moments, comme des instants volés à notre décomposition. Quand j'ai épousé Yoko, j'ai eu envie de raconter notre épopée dans une chanson. J'ai appelé Paul, et on s'est retrouvés un dimanche tous les deux en studio. On a fait d'une manière artisanale *The Ballad of John and Yoko*. Cet enregistrement, c'est un grand souvenir de la beauté de notre collaboration. Ce jour-là, on avait tout laissé de côté pour faire de la musique et rien d'autre. Faire de la musique comme quand on était adolescents.

L'album blanc a été très bien accueilli et a calmé un peu les tensions. Mais il a été entaché d'un drame. En écoutant certaines chansons, et notamment *Helter Skelter*, Charles Manson a décelé tout un tas de significations satanistes ou je ne sais quoi. Il y a entendu des messages poussant au crime. C'est ainsi que ce psychopathe a justifié le meurtre de Sharon Tate, la femme de Polanski. Et de plusieurs de ses amis. Barbarie atroce car elle était enceinte de huit mois. Après, il y a eu des abrutis pour dire que Polanski n'avait eu que ce qu'il méritait, qu'il n'aurait pas dû faire des films malsains comme *Rosemary's Baby*. Ça m'a rappelé quand les gens brûlaient nos disques. J'ai l'impression que le génie se paye parfois. Et que la sauvagerie dont on est victimes soulage les minables. Qui peut oser penser qu'une œuvre est responsable d'un truc aussi dégueulasse ? Comment ce dégénéré de Manson a pu dire que la merde qu'il avait dans la tête venait de nos chansons ? Quand il y a des messages, on les explique. Je ne sais pas pourquoi il y a cette folie de trouver des signes secrets, comme si nos albums étaient sacrés. C'était pareil avec tout le délire sur la mort de Paul. Ça a dépassé la simple rumeur. Des mecs trouvaient des détails dans toutes nos chansons ou nos pochettes prouvant qu'il était mort depuis longtemps, et qu'on l'avait remplacé par un sosie. Depuis, j'éprouve la hantise permanente d'être écouté par un taré.

C'était l'époque de l'amour, mais le climat était lourd. Il y avait les fous, il y avait les rumeurs, et puis il y avait surtout la haine. Oui, c'était le temps de la haine. De la haine contre Yoko. Je ne sais pas exactement comment tout est arrivé, mais ça s'est répandu comme une traînée de poudre. Ces putains d'Anglais ont été tellement racistes. C'est pour ça que je n'y fous plus les pieds. J'ai honte de mon pays. Honte du torrent de saloperies qu'ils ont déversé sur la femme de ma vie. Pendant un moment, j'ai conservé toutes les lettres d'insultes que j'ai reçues. J'ai même voulu les publier. C'était démentiel. Je cassais peut-être un rêve, une image, mais je ne comprenais par pourquoi ils crachaient autant sur Yoko. Tous les jours, on voyait des caricatures d'elle dans la presse. Ils l'appelaient Dragon Lady, ou la Garce, ou la Jap. On la voyait en train de me dominer, le tout petit cafard que j'étais. Cette servilité-là, je l'ai assumée. C'est étonnant qu'ils aient méprisé cette si belle idée : celle d'un homme faisant don de son autonomie à une femme. Si j'avais choisi Nathalie Wood à la place, on serait devenus un mythe romantique. Alors que là, avec cette Asiatique givrée, on était dégueulasses. C'est pour ça qu'on s'est barrés aux États-Unis. Ici, on est considérés comme deux artistes et pas comme deux bêtes de foire.

C'était tout juste si les gens ne nous crachaient pas à la gueule. Ça pouvait arriver qu'une serveuse refuse de s'occuper de nous dans un restaurant. Les Beatles appartenaient à tout le monde, et il ne fallait surtout pas y toucher. Yoko, cette femme qu'ils jugeaient moche, cristallisait le rêve brisé. De quelle autre femme a-t-on autant dit qu'elle était laide ? On ne dit jamais ça d'une femme, même si elle est hideuse. Moi je la trouvais belle. Elle m'émerveillait. Quand on a toutes les femmes que l'on veut, quand la sensualité est un pays parcouru en tous sens, alors le terrain du désir se déplace. Il voyage vers la profondeur. Vers tout ce qui n'est pas un matin comme un autre, avec une fille comme une autre, après une soirée où j'ai dit les mêmes choses que la veille à des filles interchangeables. Et les gens ne voyaient rien de tout ça. Ils voyaient avec leurs yeux étroits. De quel droit jugeaient-ils ma liberté d'aimer ? Je ne leur devais rien. J'étais peut-être entré dans leur vie avec mes chansons, mais ça ne leur donnait pas le droit d'émettre un avis sur mon cœur.

Tout le monde a dit que Yoko avait brisé les Beatles, mais c'est le regard sur elle qui a tout foutu en l'air. Si elle avait été accueillie différemment, rien ne se serait passé ainsi. C'était démesuré. Je me dis maintenant que c'était à la mesure de cet amour démesuré qu'on avait reçu pendant tant d'années. Tout le monde s'en foutait de savoir que j'étais malheureux. Tout le monde s'en foutait de savoir que j'avais crié au secours. Tout le monde a pensé que Yoko avait tout saccagé, alors qu'elle m'a donné la force de m'accepter. Elle m'a sauvé la vie. J'étais lié aux Beatles, ils étaient mon vrai mariage depuis toujours, et elle m'a donné enfin la force de divorcer. Elle m'a pris par la main et m'a chuchoté : la vie est ailleurs.

Seizième séance

J'ai annoncé que je quittais les Beatles. Contrairement aux pseudo-départs des autres, là c'était du sérieux. J'avais créé le groupe, et maintenant je le cassais. C'était logique. Je voulais être libre pour tous mes projets avec Yoko. Mais Klein m'a convaincu de ne rien dire. On était en pleine renégociation de nos contrats, alors c'était ridicule d'annoncer la séparation. Rien ne nous empêchait de faire nos projets chacun de notre côté. Ce qu'on a tous commencé à faire. C'était vraiment une période bizarre. Quand j'ai fait *Give peace a chance*, j'ai crédité Paul à la composition, alors que ce n'était même pas vraiment une chanson des Beatles. Je l'ai regretté ensuite, mais, sur le moment, j'ai pensé que je devais le faire. Je me sentais presque gêné de vivre ma vie sans eux. Je me sentais gêné d'avoir Yoko, alors qu'ils n'avaient que les Beatles. Musicalement, on était devenus si différents. Ça devenait absurde que chacun tente d'imposer ses choix aux autres. On avait toujours pris nos décisions à l'unanimité, et là ce n'était plus possible. Mais bon, il y avait une telle pression autour de nous pour qu'on reste ensemble. Tout le monde est devenu dingue quand on s'est séparés.

Paul a voulu qu'on soit filmés pendant l'enregistrement d'un album. C'est ce qui a donné *Let it be*, un film dont il a tiré toutes les ficelles, tout ça pour apparaître comme le leader. C'était un film de Paul pour Paul à la gloire de Paul. On passait pour ses musiciens. Et il a tout fait pour montrer Yoko sous le pire jour possible. Je ne sais pas pourquoi on a accepté ce délire. On était habitués à être seuls en studio, et là il y avait du monde partout. Du bruit, de la lumière. On était des monstres de foire. Des monstres et des singes, même, qui s'engueulaient dans leur zoo décadent. C'était dégoûtant. Mais bon, il y a bien une part de vérité dans ce film : c'est la chronique de notre agonie. Ça a inspiré les Stones, qui ont fait *Let it bleed* en hommage à notre désintégration.

Finalement, on a laissé tomber cet album qui ne menait nulle part. Phil Spector, le producteur de génie avec qui je travaille, a repris plus tard les bandes et en a fait quelque chose. C'est dingue qu'il ait réussi à en tirer une œuvre cohérente. Paul a été fou d'entendre les réarrangements sur certaines de ses chansons. Il trouvait que c'était comme un viol ou je ne sais quoi. Après le désastre de *Let it be*, tout devait être fini. Mais on s'est quand même dit : et si on en faisait encore un ? Enfin, c'est sûrement une idée de Paul. Les fans des Beatles lui doivent beaucoup. C'est comme ça qu'on a fait

Abbey Road. On ne voulait pas se dire que ça serait le dernier. Mais l'enregistrement avait le goût d'un adieu. Ou d'une tentative de finir dignement, d'être un tant soit peu à la hauteur de ce qu'on avait été. Le dernier morceau de l'album s'appelle *The end*. Enfin, on a ajouté à la fin une petite chanson légère de Paul pour éviter de paraître dramatique. Mais ça ne changerait rien. C'était la fin.

Pourtant, je n'ai pas le souvenir de quelque chose de triste. On se rendait compte du travail accompli, et peut-être qu'on éprouvait un sentiment de fierté. C'était triste, c'était raté, mais la beauté avait existé, et personne ne pourrait nous l'enlever. George a fait deux de ses plus belles chansons sur cet album. Des chansons aériennes. Je crois que notre apaisement venait du fait qu'on acceptait notre fin. On était comme un mourant qui se laisse aller, et dont le visage n'est plus crispé par la violence du combat. Notre dernière apparition publique a été à l'image de ce soubresaut du paisible. On a fait un concert sur le toit de notre immeuble. Un concert quasi improvisé de quelques chansons. C'était merveilleux. Les gens s'arrêtaient dans la rue et levaient la tête. On retrouvait la magie de nos débuts. La rumeur a enflé dans le quartier, puis dans toute la ville. Les Beatles en concert ! À la fin d'une chanson, les gens ont applaudi, et j'ai dit : « Merci, nous sommes contents d'avoir réussi l'audition ! » Je pouvais encore avoir de l'humour.

Abbey Road est sorti. Puis, quelques mois plus tard, ce fut enfin au tour de *Let it be*. Mais, juste avant la sortie, une bombe a explosé. Paul a annoncé qu'il quittait le groupe. Les problèmes juridiques n'en finissaient plus de nous pourrir, mais jamais je n'aurais pu croire qu'il nous ferait ça. Je veux dire : sans même nous prévenir. Je lui en ai voulu à mort. C'était mon groupe. Il n'avait pas le droit d'annoncer la fin de mon groupe. Et, comme par hasard, il balançait ça au moment où il sortait son premier album solo. Ça lui faisait un coup de pub fabuleux. Il a toujours eu un grand sens de la communication. Il a beau le nier, je vois bien chez lui ce côté stratège des annonces médiatiques. Ça me dégoûtait. Et ça nous dégoûtait tous, car il plombait sérieusement la programmation de *Let it be*.

Quand j'ai écouté son album, je me suis dit : tout ça pour ça. C'était médiocre. On lui a toujours reproché son côté gentillet, et il a lutté contre en composant parfois des chansons très rock. Mais là, l'instinct avait repris le dessus. Il a dit que c'était un album de soulagement. Peut-être qu'il a raison. Mais la différence entre nous, ça a toujours été la souffrance. Les mecs qui se réveillent heureux le matin, ça me fascine. Paul est un génie, c'est incontestable. Il est la preuve vivante qu'on peut être heureux et être un génie. Mais les conneries mielleuses de son premier album, non. Il chantait qu'il était peut-être fou, mais sa folie était comme une doublure de la mienne. À supposer que ma folie me foutait la paix deux minutes.

Pendant des années, on ne s'est pas parlé. Sauf par chanson interposée. Avec des messages assez violents. Surtout de ma part. C'était une blessure. Je n'arrivais pas à m'en foutre complètement. On était liés à vie, et le silence était impossible entre nous. J'ai fait une chanson vraiment haineuse contre lui, *How do you sleep ?*, et je m'en veux des paroles qui sont des horreurs. Il était devenu mon ennemi. Et je voyais bien que les gens étaient effarés par la violence qui avait contaminé les gentils Beatles. Je me demande si ce n'était pas ce qu'on cherchait dans ce saccage, qu'on nous foute enfin la paix. Mais rien à faire : le public était choqué, déçu, maltraité, mais il nous adorait toujours autant. On avait atteint par nos chansons le degré suprême de l'impunité amoureuse.

J'ai chanté que le rêve était fini. J'ai chanté que je ne croyais plus aux Beatles. Que je ne croyais qu'en Yoko et moi. Seuls nos projets avaient une valeur à mes yeux. L'arrivée de Yoko dans ma vie a changé ma façon de voir les choses. J'avais compris avec *All you need is love* que la musique pouvait véhiculer des messages politiques. Je devais maintenant mettre ma notoriété au service d'une cause. Si des centaines de millions de fans avaient chanté *I want to hold your hand*, ils pourraient très bien chanter des hymnes à la Paix, ou des protestations pour un monde meilleur. Yoko et moi, on voulait être monsieur et madame Paix. C'était dorénavant notre seule ambition. Mon groupe n'était plus les Beatles, mais la Paix.

Quand on a fait la campagne de pub dans le monde entier pour souhaiter joyeux Noël, on nous a traités de mégalos. On pouvait lire ce slogan : *War is over, if you want it. Happy Christmas from John and Yoko.* On se foutait des critiques. C'était un message qu'on trouvait beau et simple. C'est à ce moment-là que j'ai rendu ma médaille de l'Empire britannique pour protester contre l'ingérence de la Grande-Bretagne entre le Nigeria et le Biafra, et l'implication de son armée aux côtés des troupes américaines au Viêtnam... Et puis j'avais ajouté une petite touche d'humour en m'indignant également contre la chute de mon single *Cold Turkey* dans les charts ! Ça serait à l'image de mon combat. Je voulais m'investir, être sérieux, mais conserver une part de saltimbanque. Je voulais être capable de montrer mes parties génitales à tout moment, pour ne pas être non plus un Gandhi ou un Luther King susceptibles de se faire assassiner.

Toutes nos actions devaient avoir un sens politique. C'est là qu'on a eu l'idée du Bed-In. On protestait contre la guerre en restant au lit pendant une semaine. La première fois, ça s'est passé au Hilton d'Amsterdam. Les gens se demandaient vraiment ce qu'on foutait. C'était inédit. Beaucoup se sont moqués, ont pensé qu'on devenait dingues, que notre utopie était ridicule et surtout stérile, mais au bout du compte le simple fait de rester ainsi dans un lit attirait toutes les caméras du monde entier. Alors qui était le pigeon ? Pendant une semaine, on a parlé de paix et d'amour. On recevait de 9 heures à 19 heures, et après on se retrouvait tous les deux dans notre lit. On était heureux.

Une nuit, Yoko m'a dit qu'elle avait toujours été persuadée qu'elle deviendrait célèbre. Elle était certaine d'être la réincarnation d'un grand samouraï du XVIᵉ siècle. Je lui ai demandé si c'était un gentil samouraï, et elle m'a répondu qu'il était connu pour sa cruauté. Je me suis vite glissé sous le drap. Elle m'a alors chuchoté à l'oreille : « Tu ne crains rien, je suis devenue pacifiste pour expier mes vies passées. » Avec Yoko, nous étions des siècles.

On a refait la même chose à Montréal. On aurait voulu en organiser aussi à New York, mais ça n'a pas été possible. L'administration Nixon devait déjà m'avoir dans le collimateur. On a enregistré *Give peace a chance*, et il y avait plein de monde, même un rabbin. C'était œcuménique. Qui peut critiquer ça ? Cette chanson est devenue un hymne. Elle a été reprise dans toutes les manifestations du monde. Quelque chose d'immense se soulevait. Quelque chose qui ne pourrait plus s'arrêter. Le mouvement de l'espoir. On a essayé d'avoir des rendez-vous avec des politiques. Ce qui était compliqué. Le Premier ministre canadien nous a reçus, et pour nous c'était une belle victoire. On était des messagers du peuple.

Mais on était toujours des artistes. Yoko passait son temps à faire des films ou à monter des expositions. Et je faisais de la musique. 1971 est l'année de mon album *Imagine*. On a accusé Yoko d'avoir brisé les Beatles, mais alors il faudrait peut-être la remercier pour tous nos albums solo. L'art était notre refuge. Si on était soutenus par un grand nombre de personnes dans nos combats, on sentait toujours autant l'hostilité et la raillerie. Comme si une rock star n'avait pas le droit de s'occuper des affaires du monde. On souffrait encore beaucoup, et j'utilisais Yoko comme un rempart. Son corps, maternel, était le prisme qui atténuait la brutalité. Je ne cessais d'alterner sentiment de vacuité et certitude que tout ce qu'on faisait était nécessaire. Le monde entier bougeait. Pourquoi n'aurions-nous pas notre place ? Il fallait se foutre de tous ceux qui nous prenaient pour des utopistes défoncés. Enfin non, je ne m'en foutais pas. Je ne comprendrai jamais comment deux êtres humains dans un lit, avec des fleurs au-dessus de leurs têtes, peuvent susciter autant d'agressivité.

Tout ça n'arrangeait rien à notre malaise. Je cherchais toujours un moyen d'aller mieux. J'ai alors décidé de suivre l'enseignement d'Arthur Janov. Après le Maharishi, il a été le nouvel homme sur qui j'ai fondé mes espoirs d'apaisement. J'avais lu son livre sur la théorie du cri primal, et peut-être que j'avais simplement été attiré par le titre. Le cri primal, c'est une expression qui m'a parlé instantanément, qui a voyagé dans ma chair. Janov avait envoyé son livre à toutes les célébrités en misant sur leur dépression probable. Il avait raison : une célébrité dépressive est un pléonasme. C'est comme ça qu'on l'a découvert. On lui a téléphoné et il est venu nous voir en Angleterre. La première rencontre m'a vraiment surpris. Je m'attendais à un petit scribouillard à lunettes, alors qu'il était très cool et portait une veste en cuir. Il était aussi sexy qu'un de ces acteurs qui ne vieillissent jamais. Finalement, on a décidé de le suivre à Los Angeles. Au tout départ, son côté business m'a gonflé. On s'est engueulés car il voulait filmer les séances, et moi, je ne voulais pas servir de gogo qu'il utiliserait pour se faire plein de fric. Mais, à part ça, les semaines passées là-bas ont été extraordinaires.

Sa méthode consistait à attaquer de plein fouet la névrose pour l'éliminer. Les séances étaient dingues. Il y avait des hommes recroquevillés comme des fœtus, et d'autres qui suçaient leur pouce. Il fallait chercher le bébé en nous. Atteindre l'enfance par le cri. On libérait tout ce qu'on avait toujours retenu. On était là, à hurler pendant des heures, et je sentais que c'était vraiment bénéfique. Cet homme a eu une grande influence sur moi. Y compris musicalement. J'ai utilisé le cri pour certaines de mes chansons, comme *Mother*, où j'exprimais enfin la douleur d'avoir perdu ma mère. Je relâchais ma souffrance dans un râle. Ma rage et mon cœur communiaient. J'allais mieux. J'écoutais les conseils de Janov. Pour la première fois, je parlais à quelqu'un des sentiments si contradictoires que j'avais toujours éprouvés pour mon fils Julian. Il me poussait à renouer avec lui. Et puis je ne sais pas ce qui s'est passé, mais on est repartis. Yoko était mal. Ou peut-être qu'elle n'aimait pas trop que je me rapproche ainsi du docteur. On était exclusifs.

Après l'épisode Janov, on a définitivement quitté l'Angleterre pour s'installer à New York. J'adorais les États-Unis, mais j'avais peur aussi de ce pays. Je me souvenais de la folie provoquée par mes propos sur Jésus. Mais bon, le Royaume-Uni me dégoûtait. On était bien plus respectés ici. Les premiers jours à New York furent magiques. Quand on marchait dans la rue, on nous regardait bien sûr, mais on ne sentait plus cette forme oppressante du jugement permanent. C'était une période fabuleuse. On sentait la ville vibrer. Elle était d'une grande beauté. J'ai rencontré plein de gens que j'admirais, comme Andy Warhol. Enfin, je dis ça, mais je crois bien que c'était surtout lui qui m'admirait. Je me suis retrouvé à chanter avec Zappa. Je l'aimais bien, et il m'avait fait rire avec sa parodie de *Sgt. Pepper*[1]. Quand on s'est vus, il m'a demandé si je voulais participer à son concert. J'ai dit oui, sans réfléchir. C'était ça, New York. Tout paraissait plus simple. C'était vraiment la ville où tout se passait.

Le monde de l'avant-garde aussi était là. Yoko a voulu monter une très grosse exposition, et on y a mis toute notre énergie. Comme tous les créateurs, elle était dotée d'un ego surdimensionné. Pourtant, elle était capable de mettre un tel panneau à l'entrée : « Cette exposition est le travail d'une artiste sans talent qui a désespérément besoin de communiquer. » Son humour m'a toujours plu. Ce fut un succès, mais, encore et toujours, elle ne se sentait pas aimée. Elle en souffrait. Elle me demandait parfois : « John, John, pourquoi les gens ne m'aiment pas ? » Un ami lui avait dit que c'était parce qu'elle donnait toujours l'impression d'en savoir plus que tout le monde. Elle avait alors répondu : « Mais c'est la vérité. J'en sais plus que tout le monde. » C'est tout elle.

Les grands mouvements du monde contestataire se passaient en Amérique. On voulait se rendre utiles, en aidant de nombreuses causes. Avoir John et Yoko demeurait toujours un

---

1. En 1968, Frank Zappa, avec son groupe The Mothers of Invention, a sorti un album dont la pochette parodiait celle de *Sgt Pepper*. Et dont le titre railleur était : « *We're only in it for the money* ».

événement. On a soutenu les combats pour les femmes, les Black Panthers, ou des activistes radicaux comme Jerry Rubin. L'erreur de cette époque est sûrement d'avoir été récupérés par des durs, des excités de la révolution. On a toujours été très clairs. On était complètement pacifistes. Le moment le plus marquant a été le grand concert organisé pour soutenir John Sinclair. Il avait été condamné à dix ans pour avoir été pris avec deux joints. À l'évidence, l'administration Nixon cherchait à en faire un exemple. Une manière d'envoyer un signal fort à ses partisans. Les élections approchaient, et ça devenait tendu. Ça me paraissait démentiel que des gens puissent vouloir un second mandat de Nixon. Quatre ans auparavant, en 68, il avait été élu en promettant la fin de la guerre, en jurant qu'il avait un plan secret. Il avait ainsi excité les électeurs. Puis le temps avait passé. Et les atrocités au Viêtnam n'avaient jamais cessé. La guerre faisait toujours autant de ravages, et son plan secret était demeuré secret. Il voulait instaurer la terreur pour calmer les démocrates, mais ça ne marcherait pas comme ça. On allait lutter. Pour soutenir Sinclair, j'ai composé une chanson. Après le succès du concert, le gouvernement n'a eu d'autre choix que de le libérer. C'était une véritable victoire politique. La preuve que la contestation pouvait aboutir à des résultats.

C'est à cet instant que les emmerdes ont commencé. Mon engagement m'a propulsé au premier rang des ennemis des républicains. Il était évident que mes actions, au vu de ma popularité, pouvaient faire basculer de nombreux électeurs. Je ne me cachais pas pour dire tout le mal que je pensais de Nixon. Voilà comment je me suis mis dans une sale position. Car je n'étais pas un citoyen américain. Pour justifier un arrêté d'expulsion, les salauds ont ressorti mon arrestation anglaise pour consommation de drogue. On voulait me virer d'un pays dans lequel je me sentais si bien. J'allais débuter une bataille juridique qui durerait des années et qui me coûterait des millions de dollars. Mais j'étais motivé comme jamais. J'allais me battre. S'ils voulaient me virer, il faudrait qu'ils me traînent par les couilles. Quand ils ont vu mon acharnement à utiliser tous les recours possibles, ils ont commencé à vouloir m'intimider. J'ai alors vécu l'enfer. On me suivait en permanence. Et les mecs faisaient bien en sorte que je les repère. Pour que je sache que je n'aurais plus une seconde de répit. Ma paranoïa devenait une réalité. Ils voulaient me pousser à bout, me taper sur les nerfs. Et ça marchait. Je suis devenu irascible. Comme n'importe quelle bête traquée.

J'attendais l'élection présidentielle, la peur au ventre. Chaque jour comptait. La défaite de Nixon, c'était ma seule chance. Et aussi la seule chance d'un monde meilleur. J'étais mal en ce mois de novembre 72. Le soir de l'élection, on était à Los Angeles, chez Rubin. Je me suis à mis boire et les résultats me sont tombés sur la gueule. On s'est regardés avec Yoko. Quelque chose s'effondrait. Je savais que j'allais me faire expulser. Je devais encore lutter, mais je n'avais plus la force. J'allais sombrer dans une immense dérive.

Dix-septième séance

Yoko et moi, on avait vécu dans le monde totalitaire de l'amour absolu. Et pourtant la folie de mon bonheur n'avait pas altéré mon malaise. Je sentais encore les démons de toujours. J'avais tenté tant de choses pour aller mieux, et rien n'y faisait. Cela empirait même. Je buvais tellement que j'étais souvent agressif. Les morts précoces et atroces de tant de rock stars m'avaient traumatisé. Je vivais ma situation comme si j'étais en conditionnelle de la vie.

Lors d'une soirée, j'ai repéré une blonde. Ou plutôt : j'ai vu qu'elle me regardait. Enfin, je dis blonde, mais elle pouvait être de toutes les couleurs. Sous le règne de Nixon, mes souvenirs étaient en noir et blanc. J'ai vu dans son regard ce que j'avais tant vu par le passé. Elle était une de ses filles que je pouvais baiser sans même draguer. Depuis des années, je m'étais écarté des femmes, et je sentais que ça commençait à me manquer. Je me suis approché de la fille, tout près d'elle, et j'ai commencé à la peloter. Je lui disais bonjour avec mes mains. Yoko était là, à quelques mètres. Elle ne disait rien. Elle patientait dans son humiliation. Puis elle s'est levée subitement. Elle a quitté la soirée sans même me regarder. J'aurais dû partir en courant, j'aurais dû tout faire pour la rattraper dans la nuit, mais au lieu de ça, j'ai traîné la blonde dans la chambre d'à côté. Après, je ne sais plus très bien ce qui s'est passé. J'ai dû me réveiller le lendemain, ou le siècle suivant. Que savais-je du temps à présent ? J'ai dû revenir vers Yoko, minable et honteux, misérable et masculin. Comme toujours, c'était elle qui allait prendre la décision de notre avenir. Si je voulais tout ruiner, si je voulais me taper des blondes, et même si je voulais mourir, alors elle ne m'en empêcherait pas. Elle me rendait ma liberté. Voilà ce qu'elle a dit : je te rends ta liberté. Mais chez Yoko, cela avait une grande puissance. Cela voulait dire qu'elle me laissait à ma solitude. Elle m'a poussé à rester le week-end en Californie pour vivre ma dérive. Et peut-être qu'après j'y verrais plus clair. Ce serait un week-end qui durerait quatorze mois.

Je ne peux pas m'empêcher de voir maintenant toute la force de Yoko dans son attitude. Je sais qu'elle a souffert. En faisant le bilan de nos années, ce n'était pas très glorieux. Elle avait perdu la garde de sa fille. Elle avait accédé par moi à une notoriété mondiale, mais n'avait toujours pas été reconnue comme une grande artiste. Je pense qu'elle a pris le risque de me perdre. En tout cas : de me faire évaluer ma vie par le vide. Par le manque d'elle. En s'écartant, elle me laisserait voir ce que je voulais vraiment.

Mais elle ne me laissait pas complètement seul. Depuis quelques mois, on avait une assistante formidable : May Pang. Elle s'occupait de tout pour nous, merveilleuse d'attention et de douceur. Yoko a demandé à May de me suivre et de s'occuper de moi. Et de céder à mes avances, si je voulais avoir une histoire avec elle. Cela peut paraître fou ou dégueulasse. Mais je sais y voir la dignité et non la perfidie. Quelque part, Yoko se disait : j'ai perdu John, mais je préfère encore le savoir avec une alliée. Une femme qui me racontera son quotidien. Par cette autre femme, je serai encore avec lui. Je n'ai rien su de tout ça. J'ai juste pensé que May m'accompagnait car elle était mon assistante.

Les premières semaines, j'ai couché avec plein de filles. Et c'était comme une plongée vers mon passé. Avec toute une bande de givrés, de Keith Moon à Harry Nilsson, on sortait tous les soirs. On faisait la tournée des clubs. Il y avait Ringo qui était souvent par là. C'est une époque où j'ai vu aussi pas mal Mick Jagger. On était dans le trou des années 70. Les milieux de décennie ne sont jamais très excitants. L'administration cherchait toujours à me virer, mais je tenais bon. J'avais le meilleur avocat. Et j'étais épaulé par tant d'artistes. Mon comité de soutien allait de Dylan à Sinatra, en passant par Fred Astaire ou Allen Ginsberg. Ça me faisait du bien d'être aimé et aidé comme ça. Mais ça ne changeait rien : j'étais perdu.

Un matin où ma tête tapait si fort, May s'est allongée près de moi. C'était toute la douceur du monde. Je l'ai serrée fort dans mes bras. J'avais des larmes dans le corps. Mais je n'ai pas pleuré. J'ai souri. Et elle a souri aussi. Ce fut le début d'une belle histoire. Je n'avais rien vu arriver, comme je ne vois d'ailleurs jamais rien arriver. May téléphonait tous les jours à Yoko pour lui faire un rapport. Mais là, elle s'est mise à déraper de la vérité. Elle ne pouvait plus raconter notre quotidien plongé dans le balbutiement amoureux. C'était un étrange vaudeville, où chacun ne savait pas grand-chose de l'attitude des autres. J'aurais voulu tout raconter à Yoko, mais elle refusait de me parler. C'était pire qu'un sevrage d'héroïne. C'est vrai que je respirais loin d'elle, mais je n'avais jamais envisagé qu'on coupe ainsi les ponts. Pire, j'entendais des rumeurs comme quoi elle se tapait un guitariste. Un guitariste moustachu en plus. Ça me dégoûtait d'imaginer les lèvres de Yoko voyageant sur d'autres lèvres que les miennes. Alors un petit matin, à la sortie d'une boîte, j'ai embrassé May sous les flashes d'un photographe. Le monde entier nous rejoignait maintenant dans notre mascarade.

Yoko ne me pardonnerait jamais ça. Je crois qu'elle a toujours voulu qu'on soit une sorte de mythe. Elle a toujours eu conscience, bien plus que moi, de ce qu'on devait être. On était John et Yoko. Et si elle n'était pas reconnue en tant qu'artiste, au moins elle créait l'œuvre du couple. Il y a chez elle une volonté permanente de nous mettre en scène. Y compris quand nous parlons aux médias. Nous sommes un roman. Cette séparation devait être une respiration, c'était ça notre vérité officielle. On avait besoin d'une pause. Mais en me faisant ainsi photographier j'offrais au monde la vérité sordide. La vérité d'une décomposition atrocement banale. Je tailladais au cutter notre tableau. Cette fois-ci, elle s'est dit que c'était définitivement fini entre nous.

Je buvais, je me battais. Ma vie était un éternel recommencement. J'essayais d'avancer mais tout me renvoyait en permanence à mon passé. Vous ne pouvez pas imaginer combien de fois par jour j'entendais : « Alors, vous reformez quand les Beatles ? » C'est tout ce qui intéressait les gens. Tout le temps. À toute heure. C'était LA question. Je voulais parfois me mettre une pancarte sur la gueule avec un truc du genre : « Le prochain qui me demande si les Beatles vont se reformer, je le bute. » Mais en même temps, tout ça me paraissait dingue. Je veux dire : la survivance des Beatles. Je pensais que ça se calmerait avec le temps, comme pour tous les groupes qui se séparent. Mais là, pas du tout. On peut même dire que ça empirait. On avait été grands, mais le temps qui passait nous rendait immenses. On était devenus un mythe. C'était presque revenu comme au temps de la Beatlemania. Je ne pouvais pas avoir de vie normale.

Je me souviens qu'à cette époque tout le monde parlait d'un film porno, un truc qui s'appelait *Gorge profonde* je crois. Et moi aussi je voulais le voir. Il y avait un ciné sur Willshire Boulevard. Je voulais être encore plus discret que d'habitude, vous imaginez bien. J'étais avec un copain. On s'est garés dans un coin. Il a acheté les billets, et on devait entrer dans le cinéma après le début du film. Mais quelqu'un m'a reconnu, et ça a été tout de suite l'excitation générale. J'ai détrôné le porno. On s'est barrés vite fait. Finalement, mon pote est allé le voir sans moi, et il a tenté de me raconter. Mais bon, c'était pas pareil. Il n'y avait pas grand-chose d'excitant dans ses mots. Je ne sais pas pourquoi je vous raconte ça. Peut-être parce que ça m'emmerde de ne pas l'avoir vu, ce film. Ça fait partie des choses qui me sont interdites. J'ai une vie exceptionnelle, d'accord, mais c'est une vie souvent en marge des plaisirs simples.

Je ne voulais pas mourir dans la peau d'un ex-Beatle. Mes derniers disques n'avaient pas marché tant que ça. Et je voyais bien qu'on me parlait toujours des anciennes chansons. Mais, pour moi, les années 60, c'était la Grèce antique. Il y avait toujours un con pour me dire qu'il adorait plus que tout *Yesterday*. Je ne disais rien, mais bon, j'en ai rien à foutre de cette chanson. Elle est de Paul. Elle est complètement Paul. J'ai dîné tellement de fois dans des restaurants où les musiciens du coin se mettaient à jouer *Yesterday* pour me faire plaisir. Faut vraiment être con pour croire que ça pourrait me mettre en joie. Même si c'était une de mes chansons d'ailleurs. Je peux vous dire que ça fait bizarre d'être en 74 et que tout le monde vous foute en permanence la tête en 64.

Un week-end, je suis parti à Vegas. Sûrement pour perdre de l'argent d'une manière organisée. Non, d'ailleurs, je n'ai pas dû vraiment jouer. J'ai surtout picolé. Et là, c'est toujours pareil. Avec l'alcool, on voyage toujours au même endroit. J'ai traîné dans une boîte de strip-tease, et même la fille à poil devant moi m'a demandé si les Beatles allaient se reformer. J'ai débandé aussitôt. J'ai rarement eu autant le bourdon qu'à Vegas. Avec tous ces concerts de *has been*. J'ai eu la frousse de ma vie. Je me suis imaginé à soixante ans, en train de jouer *Love me do* pour un paquet de fric. J'ai pensé que j'allais devenir un monstre de foire enfermé à jamais dans le costume Beatles. Qui sait ? C'est peut-être ce qui se passera. On se retrouvera là-bas, tous les quatre avec des cheveux blancs. Ou chauves. On sera quatre vieux dans le vent.

Tous les jours, on reçoit des propositions de plus en plus hallucinantes pour reformer le groupe. On nous offre des millions de dollars pour un petit concert, une chanson, une note. Ou une simple apparition ensemble. Les gens sont fous. J'en ai discuté avec Paul, et on pense tous les deux qu'on serait dingues d'accepter. La planète entière nous regarderait. Et on serait forcément décevants. Qui peut être à la hauteur d'un mythe ? Le secrétaire des Nations unies nous a suppliés de jouer pour une association caritative. C'est vrai qu'en se rassemblant une heure on pourrait sauver un pays de la famine. Enfin, c'est sûrement exagéré. Ou peut-être pas. Mais faire un concert, ce n'est pas possible. Vraiment, je ne peux pas l'envisager. Un disque, par contre, pourquoi pas. Ça me paraît assez plausible qu'on retourne un jour ou l'autre en studio tous les quatre.

Après quelques mois d'errance californienne, je suis rentré à New York. J'ai pris un appartement avec May Pang. Ça m'a fait du bien de retrouver ma ville. Los Angeles a toujours été pour moi un lieu de débauche. Une ville où l'on passe ses journées à dessoûler au soleil. Yoko me manquait, bien sûr, mais j'avais de merveilleux moments avec May. Et je commençais à admettre que c'était une nouvelle vie qui démarrait. Notre histoire devenait sérieuse. Nous étions amoureux, je crois. J'écoutais ses conseils. Elle m'a incité à revoir mon fils. Cela faisait si longtemps que je ne l'avais pas vu. On l'a invité à New York, et on est même partis quelques jours à Disney World. C'était bien. Je l'ai fait jouer sur mon album *Walls and Bridges*. Yoko souffrait tellement d'être séparée de sa fille qu'elle supportait mal l'idée que je puisse voir mon fils. Enfin, je ne veux pas que vous croyiez… Je veux dire… Je sais bien que je suis responsable de ma relation avec Julian. Yoko n'a rien à voir avec ma sécheresse. Mais j'avais sûrement besoin de quelqu'un pour m'aider à construire une relation. Seul, je n'étais capable de rien. Et certainement pas d'être père.

May m'a aussi poussé à renouer avec Paul. Elle m'a dit que je parlais tout le temps de lui, ce qui était vrai. Elle m'a fait admettre qu'il me manquait, ce qui était vrai aussi. De toute façon, la haine était ridicule. Il fallait apaiser les choses. On s'est revus, et c'était bien. Ce n'était plus comme avant, bien sûr, mais ça allait. On se connaissait tellement. On n'avait pas besoin de parler. On était un vieux couple. On s'est mis à évoquer nos projets. La musique était pour toujours notre terrain d'entente. Il était sur le point de partir à La Nouvelle-Orléans pour l'enregistrement de *Venus and Mars*. J'ai failli y aller avec lui. Mais bon, fallait se calmer un peu quand même. On ne pourrait plus jamais retrouver nos dix-sept ans. Ce temps où l'on avait l'impression d'être le monde à deux.

Je travaillais beaucoup à cette époque. J'ai entamé des collaborations avec David Bowie ou Elton John. J'étais ému de voir que plein d'artistes voulaient à tout prix travailler avec moi. Ce n'est pas parce qu'on compose des tubes planétaires qu'on ne doute pas de son talent. Rien ne m'a jamais rassuré sur mes capacités. Alors ça me touchait vraiment de devenir comme un mentor. Enfin, disons simplement un musicien qu'on respecte. C'était une belle période. Je me suis même retrouvé numéro un des charts avec *Whatever gets you thru the night*. C'était assez inattendu. J'avais fait des bides avec ce que je pensais être de grandes chansons, comme *Mind Games*, et voilà que j'étais au sommet avec ce truc léger. Rien n'est prévisible. Il n'y a aucune recette, jamais.

Elton voulait que je vienne jouer sur scène avec lui au Madison Square Garden. C'est un musicien que j'admire vraiment, un pianiste fabuleux, et un ami aussi. Il est d'ailleurs le parrain de Sean. Sa proposition me tentait, mais j'étais toujours terriblement angoissé à l'idée de chanter en public. J'étais capable de vomir avant un concert. Je n'avais jamais eu confiance en moi. Et là, je me sentais encore plus fragile que d'habitude. J'avais passé des semaines à fuir l'évidence : Yoko me manquait de plus en plus. Et c'était une souffrance que je conservais dans la pénombre. May me parlait de projets pour le futur, et je disais oui. Mais je voulais discuter de tout ça avec Yoko. Je voulais qu'elle décide pour moi, qu'elle me dise que faire. Je lui laissais des messages tous les jours. En la suppliant de me reprendre. Elle était la femme de ma vie, et ma vie était loin d'être finie. Comment avais-je pu penser pouvoir me passer d'elle ? Elle me répondait que je n'étais pas prêt. Que ce n'était pas le bon moment. Avec elle, tout était toujours lié au bon moment. Elle était obsédée par la numérologie et ne prenait pas la moindre décision sans en avoir averti sa numérologue. Mon destin était donc scellé aux étoiles.

May voyait bien à quel point j'étais changeant. Je pouvais être joyeux le soir et me réveiller le lendemain le corps percé par l'incertitude. Je restais alors des heures devant la télévision, obsédé par les publicités. Elle m'apportait tant, mais cela ne colmatait pas le trou béant créé par l'absence de Yoko. Elle a insisté pour que j'accepte la proposition d'Elton. Elle a bien fait. Cela a été une soirée extraordinaire. Enfin, pas vraiment pour elle. Sur scène, j'ai joué trois chansons dont *I saw her standing there*. La chanter était un double signe d'apaisement : avec mon passé que j'avais tant décrié, et avec Paul car c'était l'une de ses compositions. J'ai été très ému de l'interpréter. Cela voulait dire officiellement que je mettais un terme à notre guerre. Et, inconsciemment, cela voulait sûrement dire : je veux renouer avec mon passé. C'était un signe que j'envoyais, et j'allais être récompensé. Dans la foule, perdue entre tous les visages, il y avait celui que j'attendais. Yoko était là, et je ne le savais pas. Après le concert, elle est venue me voir, une rose à la main. Et cette rose signifiait : John, tu peux revenir.

On se retrouvait et c'était encore plus fort que notre rencontre. Nous sommes rentrés à la maison et nous avons fait l'amour. Je suis resté collé contre ma femme pendant des heures. Je ne pensais plus du tout à May qui devait être folle d'inquiétude. Plus rien n'existait : ni notre passé ni nos projets. Yoko lui a téléphoné le lendemain, et a simplement dit : « J'ai repris John. » Quelqu'un est allé chercher mes affaires. Je me rends compte à quel point ça a dû être violent. Mais c'était ainsi. Quand Yoko était là, le monde entier pouvait saigner que ça ne me touchait pas. Plus tard, j'ai revu secrètement May une ou deux fois. Elle m'a dit à quel point Yoko avait été brutale. Je l'ai serrée dans mes bras car je ne savais que dire. J'avais sincèrement éprouvé des sentiments pour elle. Mais ce n'était plus mon problème. C'était sa vie. Je ne pouvais pas m'encombrer des autres. J'avais trop à faire avec moi. Avec Yoko et moi. On l'a laissée et, bien sûr, on ne pouvait plus la prendre comme assistante. Du jour au lendemain, elle s'est retrouvée sans rien[1]. Et quelle importance pour nous, qui avions tout. Et nous allions même avoir plus que tout : un enfant.

---

1. Elle finira par travailler chez Island Records, s'occupant notamment de Bob Marley. Dans les années 80, elle épousera le producteur Tony Visconti avec qui elle aura deux enfants. Elle publiera un livre en 1983 sur sa relation avec John. Elle n'a plus jamais reparlé à Yoko Ono.

Dix-huitième séance

Voilà, je vous ai raconté ma vie. Je ne sais pas si ça m'a fait du bien. Pour la première fois, j'ai mis des mots sur tous les événements. J'ai rangé mes souvenirs comme des livres dans une bibliothèque. J'ai l'impression d'avoir mille ans. Et pourtant, je me sens jeune aujourd'hui. J'ai quarante ans, et je suis un enfant.

Je me souviens qu'une de nos premières séances s'était déroulée juste après la naissance de Sean. Il a cinq ans maintenant. Je suis émerveillé par le présent, et pourtant je voudrais tellement savoir comment il va grandir, comment il va devenir un homme. Un homme follement aimé par ses parents. Quand Yoko est à nouveau tombée enceinte, on y a vu un signe du destin. Nous étions bénis. On nous avait tellement dit que ce ne serait plus possible. Et là, quel miracle : c'est arrivé dès nos retrouvailles. En me reprenant, Yoko m'avait imposé quelques conditions : je devais arrêter de boire et changer radicalement mon alimentation. Il fallait manger sainement. Yoko citait tout le temps une sorte d'adage qui disait : nous sommes ce que nous mangeons. Alors voilà, je crois que Sean est né de notre volonté d'être sains.

Yoko m'a aussi demandé de m'occuper de notre enfant. Elle m'a dit : « Moi je le porte, et toi tu l'élèves ! » Elle voulait que je sois père au foyer pendant qu'elle travaillait. Son ventre grossissait et je disais oui à tout. Je disais oui aux jours qui s'annonçaient. On était si heureux. Les mois passaient et la crainte d'une fausse couche s'éloignait. Tout allait bien. Mais le jour de la naissance de Sean fut marqué par la panique. Juste après l'accouchement, Yoko s'est mise à trembler et à perdre du sang. J'ai crié qu'il nous fallait de l'aide. Là, un docteur est arrivé, du genre tempes grises, avec une tête rassurante. Je me suis dit que c'était bon. Mais il s'est mis à me fixer, sans bouger. J'ai demandé ce qui se passait. Il a balbutié qu'il était très honoré de me rencontrer. J'ai pété un plomb. Ma femme était en train de mourir et lui il me parlait musique. C'était pas possible.

Ça s'est arrangé par la suite, mais les médecins ont repéré des traces de drogue dans les urines de Yoko. Je l'ai regardée droit dans les yeux. On avait arrêté ensemble. On avait vraiment décidé que tout ça était derrière nous. Je ne pouvais pas imaginer qu'elle ait continué, et surtout pas enceinte. Je ne pouvais pas penser qu'elle ait pu mettre en péril la vie de notre enfant. Yoko a dit que c'était faux, qu'elle ne se droguait pas, et je m'accrochais à ses mots en priant pour qu'ils soient vrais. Les services sociaux s'en sont mêlés, et j'ai bien senti qu'ils mettaient les propos de Yoko en doute. Si elle se droguait, c'était foutu pour nous. Ils allaient nous retirer notre enfant. Et notre statut n'arrangeait pas la situation. On avait une réputation sulfureuse. C'était vraiment injuste : on nous voyait comme des drogués, alors qu'on passait notre temps à bouffer du soja. Finalement, ils ont découvert que les traces étaient liées à un médicament, et ils nous ont foutu la paix. Quel soulagement. On a pu rentrer à la maison. Avec Sean. Sean Ono Lennon. Nous étions une famille.

Je ne sais pas ce qui se passait, mais c'était la première fois de ma vie que les bonnes nouvelles donnaient naissance à d'autres bonnes nouvelles. C'était comme une spirale positive. Nixon a démissionné à cause du Watergate, et du coup, j'ai enfin obtenu mon statut de résident permanent. Quelqu'un a dit à la télé : « Son acharnement à vouloir être américain aurait dû lui valoir automatiquement la nationalité américaine[1] ! » Ils s'en rendaient compte maintenant que j'aimais plus que tout ce pays. Je me promenais à Central Park avec Sean, et c'était là le cœur de ma journée. Il n'y avait plus rien d'autre. Je ne touchais plus ma guitare. Pendant vingt ans, j'avais employé toute mon énergie à composer, à bosser comme un

---

1. Quelqu'un d'autre dira plus tard : « S'il n'avait pas obtenu son statut de résident américain, il n'aurait pas été assassiné à New York. »

chien. Tout ça était fini. Les dernières années, j'ai eu une vie rythmée par des choses simples. J'ai articulé mes heures en fonction de mon enfant. J'étais père au foyer, et c'était merveilleux. Ça ne m'étonnerait pas que ça devienne une mode pour les hommes, de rester à la maison. J'ai adoré traîner en cuisine. J'ai dû passer pour un excentrique auprès de la cuisinière. Elle me voyait fou de joie à l'idée de savoir cuire un œuf. Et puis j'ai appris à faire du pain. Oui, je fais du pain moi-même. Et ça, ça me rend encore plus heureux que d'avoir rempli des stades.

Habillé d'un simple kimono, je pouvais rester sans parler, sans rien faire. Ce n'était ni de la paresse ni de la méditation, mais un état de contemplation intérieure. J'ai passé des heures à faire du yoga, à limiter au maximum mon activité physique, pour devenir un pur esprit. Par le passé, j'ai tellement parlé que mon corps nécessite maintenant de longues cures de silence. On a serré tant de pinces pendant des années, et puis merde ! On comptait sur moi pour sortir des vannes, combler les vides. Combler les sourires devant la femme du maire qui après serait toute fière d'aller faire sa dinde en réunion Tupperware en disant qu'elle avait rencontré les Beatles. Je ne voulais plus entendre tout le vacarme de la superficialité. J'étais enfin à l'abri de tout. Chez moi, en famille. Et il m'arrivait même d'oublier qui j'étais. J'étais enfin libéré de ma propre image. En marchant dans la rue, je voyais tous les gens se retourner sur mon passage, toutes les voitures freiner, et alors je me rappelais subitement que j'étais John Lennon.

La frénésie du passé n'existe plus. J'ai toujours recherché l'apaisement, et ça ne me dérange pas que cet apaisement passe par une forme d'anesthésie. Je suis heureux pour le moment. J'arrive encore à m'exprimer, mais par l'écriture. Plus que jamais c'est le moyen absolu pour extirper des profondeurs mes sentiments. Immobile et économe de mes mouvements, je me sens si léger que j'éprouve le sentiment d'être en perpétuel voyage. Et puis, par les mots, la musique est revenue. Petit à petit, oui, c'est revenu comme une envie, une nécessité, et maintenant c'est à nouveau une obsession. L'été dernier, on était aux Bermudes. C'était merveilleux. C'est une île très anglaise. Les gens roulent à gauche. J'ai senti que l'Angleterre me manquait. Comme quoi, tout est possible. Je me suis promené à travers les fleurs, la nature est si belle, émouvante sensualité, et c'est là que j'ai vu une plante portant le nom de *Double Fantasy*. En lisant ces mots, j'ai compris que ce serait le nom de mon album. Peut-être même que c'est cette plante qui m'a propulsé vers les mélodies ?

J'allais avoir quarante ans, j'avais envie de revenir. Tout ce que j'avais rejeté me manquait. N'est-ce pas cela, le cycle incessant de la vie ? Du rejet au désir. À nouveau, j'ai éprouvé les démons du passé. L'angoisse éreintante liée à la sortie d'un album. Est-ce que les gens allaient m'aimer encore ? Je composais, et je ne pensais qu'à ça. Est-ce qu'on m'avait oublié ? J'ai compris à quel point je voulais qu'on m'aime. L'amour familial m'avait nourri bien sûr, mais j'avais besoin du public. Comme tous les artistes. J'avais besoin d'être aimé et d'être compris. Et je dois dire que j'ai été rassuré, au-delà de mes espérances. L'accueil de l'album a été très bon. Il marche tellement qu'il m'a donné envie de repartir en tournée. Moi qui pensais ne plus jamais vouloir faire de concert... Je vais retourner en Angleterre, revoir ma famille, c'est le bon moment. Je vais retourner à Liverpool. J'ai hâte de vivre ce qui m'attend.

Avec mon producteur, on a hésité sur le choix du premier single pour mon retour. On a finalement choisi *Just like starting over*. C'était très symbolique bien sûr. Mais aussi très juste. Car c'est vrai que tout recommence. Tout recommence à nouveau.

C'est maintenant.

Épilogue

Vers 17 heures, le 8 décembre 1980, John Lennon est sorti de chez lui. Comme toujours, il y avait un petit groupe de fans qui l'attendait, pour prendre une photo ou lui demander un autographe. Mark David Chapman était là, lui aussi. Un cliché immortalise cet instant où John Lennon signe l'album de celui qui l'assassinera quelques heures plus tard. Car Chapman n'entreprend rien à cet instant. Il va rester dans l'ombre, aux abords de l'immeuble, attendant le retour de sa proie. Il a décidé de le tuer depuis plusieurs mois déjà. Pourtant, au tout départ, Chapman est un fan absolu de Lennon. Sa fascination le pousse même à épouser une Asiatique pour ressembler à son idole. Subissant une multitude d'échecs, il va s'enfoncer dans la dépression et tentera même de se suicider (si seulement il avait réussi...). Son amertume va se transformer en haine pour Lennon. Selon lui, la star est devenue un grand bourgeois qui a profondément renié ses combats pour la cause prolétaire. Alors il estime que ce n'est pas à lui de mourir, mais à ce grand traître. Voilà dans quel état d'esprit il attend le Beatle.

Il a le livre *L'Attrape-cœurs* de Salinger dans sa poche. Ce jour-là, il aura agi d'une manière similaire au héros du roman. Quand John Lennon revient, il l'interpelle. Le chanteur tourne la tête, et reconnaît sûrement le rondouillard à lunettes à qui il a signé un autographe plus tôt dans l'après-midi. Mais Chapman ne demande plus rien. Il pose un genou au sol et tire cinq balles à bout portant sur la star. Quatre le touchent. Lennon parvient à monter les quelques marches le menant au hall. Yoko qui le suivait se met à crier. On prévient très vite les urgences. Chapman ne bouge pas. Il est assis par terre, en attendant qu'on vienne l'arrêter. Une voiture de police arrive. On embarque le blessé pour l'emmener le plus vite possible au Roosevelt Hospital. Dans la voiture, le policier fait au mieux pour maintenir l'attention de Lennon qui perd du sang. Beaucoup trop de sang. Il lui demande : « Êtes-vous John Lennon ? » Lennon répondra : « Oui. » Et ce sera son dernier mot. Il s'éteindra un peu avant minuit[1]. Malgré ses tentatives de plaider la folie, de dire qu'il avait entendu des voix le poussant au crime, Chapman sera condamné à perpétuité.

---

1. Le chiffre 9 est vraiment récurrent dans la vie de John Lennon. C'est assez impressionnant de le voir à tous les carrefours majeurs de son existence. S'il est mort un 8 décembre à l'heure américaine, il était déjà le 9 décembre à l'heure anglaise.